子どもたちと

レッツ！インプロ！

すぅさん
鈴木聡之

誰もが「ここにいていい」と思える
場づくりのために

晩成書房

はじめに

日々、子どもたちと時間を共にしている皆さん、
子どもたちと一緒に『インプロ』してみませんか？

この本は、二〇〇二年にインプロに出会ってから、十八年間、日本のあちこちで、子どもたちと一緒にインプロしてきた私（「すぅさん」こと鈴木聡之）が、小学校の先生方や、小学生の保護者の皆さん、そして、小学生が日々を過ごす様々な「場」で、子どもたちと過ごしている皆さんに、『子どもたちと一緒にインプロすること』をオススメしたくて書いた一冊です。

皆さんの、日々の子どもたちとの時間を思い浮かべてみてください。

子どもたちと一緒に、たくさん笑ってますか？
子どもたちと一緒に、思いっきり遊んでますか？
何よりも、子どもたちと過ごす「今」を楽しんでますか？

いやいや「楽しく」「笑って」「遊んで」いるだけでは、子どもたちは成長できないし、その前に、やるべきこと、やらなければならないことがたくさんある。……そう思われる方が、きっとたくさんいらっしゃいますよね。

でも、その「やるべきこと」ばかりを「一生懸命」「がんばって」しまうことで、子どもも、大人も、しんどくなってしまってはいませんか？　子どもたちの成長を願う「がんばれ」のメッセージが、結果を出せない子を追い詰めていませんか？　成果を出せる子だけが認められる空間になっていませんか？

『インプロ』は、がんばらなくてもいい時間です。

子どもたちとの時間の中に「インプロ」を加えることで、無理なく、楽しく、『誰もがここにいていい』と思える空間を作り出すことができます。

そして、そんな「場」ができると、子どもたちは、自分自身でがんばれるようになっていきます。

『インプロ』って何なのか？　何をどうすれば、『誰もがここにいていい』と思える「場」ができるのか？　詳しくお伝えしていきます。

インプロは、即効性のある「特効薬」ではありませんので、時間はかかります。

でも、何の道具も要りませんし、どんな場所でも実施できます。学校でも、家庭でも、放課後の子どもたちが集う場所でも、誰でも、どこでも、いつでも始めることができるんです。

必要なのは、目の前にいる人に本気で向き合って「今」を「共に生きる」気持ちと、「今、ここ」で起きていることを楽しむ「遊び心」。

さあ、『インプロ』を始めましょう!!

●子どもたちと**レッツ！ インプロ！** 誰もが『ここにいていい』と思える場づくりのために●**目次**

イラスト――根岸茂美
写真――戸草内淳基
阿部雅彦

第1章 「インプロ」って、何？

「インプロ」の一場面

まず最初に、小学校6年生がインプロに取り組む一場面を紹介します。

ここに登場するのは、5年生の春にインプロに出会い、二年目に入った子どもたちで、この日は通算十五時間目の授業です。

教室での二人組のインプロ、「最初の一人が喋らずに何かの動作をする」「次の一人が話しかける」ということだけが決まっています。一人目が登場して「何かをかき混ぜる」動作をし始めました。（本人の意図は、あとで訊いたら「カレーライスを作っているお母さんのつもりだった」とのこと）そこへ二人目が近づいてきて「おばば様、魔法の薬をいただきにまいりました」と話しかけたのです。その瞬間に「お母さん」だったはずの彼女が「魔法使いのおばあさん」になり切って返答します。「何に使うのじゃ？」……ここから何やらよからぬことを企む者と、魔法使いのおばあさんとの即興のシーンが始まりました。

子どもたちの日常から消えゆく「ごっこ遊び」「集団遊び」

子どもたちは、インプロの授業で「人のアイデアを否定せずに受け入れて、そこに自分のアイデアを重ねていく」経験を積み重ねていくことで、先ほどの「魔法使いのシーン」に登場した二人のように、即興劇を楽しめるようになっていきます。その場で突然なった「役」を演じることに抵抗がなくなっていきます。

しかし、インプロを始めたばかりの時期には、突然何かの「役」になることを楽しめない子どもたちがたくさんいます。その理由は人それぞれなのですが、全体的には『役』になって遊んだ経験が少ない」「自分たちでルールを構築して遊んだ経験が少ない」ことが、大きな要因となっているように感じています。

ままごと（家族ごっこ）、チャンバラ、鬼ごっこ、忍者ごっこ、探偵ごっこ……、子どもたちの日常の中にあった何かの「役」になって、思いっきり身体を動かして遊ぶ、即興の「ごっこ遊び」に夢中になった経験のある子どもたちが今、どのくらいいるのでしょうか？

公園、原っぱ、裏山、河原……そこに行くと、不特定多数の誰かがいて、自然発生的に大勢で遊ぶ。年齢も様々なので、集まったメンバーに応じて、自分たちで遊びのルールを作っていく。そんな「集団遊び」の経験は「危ないから」「忙しいから」等の理由で、したくてもできなくなっています。子どもたちが毎日を過ごす学校でも、週休二日制の導入で「学級活動」の時間が削減されたり、授業時間確保のため「休み時間」が短くなったりして「遊ぶ」時間がどんどんなくなっていっています。

夢中で遊ぶ、「役」になって表現する、誰かと一緒に楽しむ、楽しむためのルールを自分たちで考える……そんなかけがえのない「ごっこ遊び」「集団遊び」の時間が子どもたちからどんどん奪われています。だからこそ、今、子どもたちと一緒に「インプロ」に取り組んでほしいのです。

インプロとは？

「インプロ」とは、「即興」という意味の英語〈improvisation〉を略した言葉です。

〈improvisation〉という言葉は、「楽譜を使わない音楽セッション」「振付の決まっていないダンス」「台詞が決まっていない演劇」など、芸術分野での即興表現全般を意味しますが、私が二〇〇二年に出会った「インプロ」は、「即興演劇」に由来するプログラムです。「即興演劇」は、二十世紀半ばにイギリス、アメリカなどで盛んになり、世界じゅうに広まっていきました。日本では九〇年代から俳優たちのためのプログラムとして取り入れられるようになり、現在では、いくつものインプロチームが、全国各地でインプロ（即興芝居）を上演しています。

また「応用インプロ」として、演劇の枠を超えて様々な場での「学び」や「遊び」に活用される機会も増えてきています。ＴＶのバラエティやＥテレの番組でインプロを見た方もいるかもしれません。「遊び場」としてのインプロワークショップが開催され、「まちづくり」や「人を繋ぐ」ワークショップ・企業研修・教員研修等にも、インプロが取り入れられるようになり、インプロを活かした「即興型学習」(注1)の授業実践も各地の学校や英語教室で始まっています。その活用例は実に多岐にわたっています。

「台詞が決まっていない（台本のない）演劇」を見たことがある方は少ないと思いますので、イメージするのが難しいかもしれませんね。例えばステージにインプロヴァイザー（即興芝居のプレイヤー）が二人登場したとします。客席から即興芝居を始めるための「お題」をいただいて（「親子」「恋人」のように二人の『関係性』を決めてもらうこともあれば、「海辺」「宇宙空間」のように『場所』を指定してもらうこともあります。お題のもらい方は様々です）、その場ですぐに演じ始めます。台詞も、ストーリー展開も、どうやって終わるのか（エンディング）も、何も決まっていません。インプロヴァイザー同士が、互いの言葉、動き、感情を感じ合い、受け止め合いつつ、即興で芝居を進めていきます。

よく「ああ、インプロって、アドリブのことですね」と言われます。広い意味ではそうも言えるのかもしれませんが、私は「いいえ、ちがいます」とお答えしています。台本のある芝居やコントでの「アドリブ」とは、あくまでもその台本に沿って進める中での一部の味付けとして、即興の「アドリブ」が加味されるものなのではないでしょうか？

「インプロ」（即興芝居）は、全体が即興です。どう展開し、どう終わるのか、本当に『何も決まっていない』のです。そこで生まれた物語が、どこに向かうのかも、その場で、プレイヤーたちが決めていきます。互いに、相手が「即興で表現したこと」を尊重し合いながら、どこへ向かうのかわからない「ドキドキ感」を観客の皆さんとも共有しつつ、物語を進めていきます。

「アドリブ」は、芝居でもお笑いでも「創りたい作品」がまずあって、そこに向かって即興表現していくもの、「インプロ」は、「共に表現し合う相手を尊重」し合うことを、何よりも大事にしながら創り上げていくもの、私は両者の違いを、そんなふうにとらえています。

「インプロ」のステージには何の背景も小道具もなく、衣装も身に着けていないことが多いです。時にはそこに役者以外の素敵な仲間が「即興」で加わってくれることもあります。即興ミュージシャン、即興音響、即興照明と一緒に即興芝居の舞台を創っていくのです。互いを尊重し合いながら、どう表現していくのか、演じ方、創り方は、それぞれのインプロチーム、インプロヴァイザーによって、実に多彩です。

「よく観て、よく聴いて…」

「インプロをやる時に気をつけていることはなんですか？」という質問を受けることがよくあります。

そんな時にいつも思い浮かぶのが、私自身が初めてインプロの舞台に立った時から何度もチームを組んだ仲間（注2）の言葉です。彼は「今日も、よく観て、よく聴いて、やりましょうね」と本番前にいつも声をかけてくれていました。インプロの現場に臨むとき、私はこの「よく観て、よく聴いて」を思い出し、心に刻むようにしています。「よく観て、よく聴く」ことを疎かにしてしまったら、その日出会った人たちと向き合うことはできません。

そこで起きていることを受け止めて、とび込むためには、小学校での授業でも、大人たちとの研修でも、舞台での即興芝居の時も、「よく観て、よく聴いて」……これに尽きるのです。

子どもたちとの「インプロ」

小学生の子どもたちと一緒にインプロを始める時には、いきなり舞台で行われているような即興芝居に取り組むわけではありませんが、『何も決まっていない』ことにチャレンジすることに変わりはありません。インプロの時間、子どもたちは、答えの決まっていないことに、何も練習せずに、即興でチャレンジしていきます。「正解」が決まっていませんから、「間違っている」とか「下手」とか言われる（他者からそう評価される）ことは一切ありません。ダメ出しのない時間です。どんな表現をしてもＯＫです。しかし、どういうチャレンジをしたら良いのか、どんな表現をしたら良いのかは、誰も教えてくれません。教科書もマニュアルもありません。自分で決めるしかない時間です。なので「うまくいかないこと」「失敗」の連続です。（失敗かどうかの評価も自分ですることになります）

NEXT

第２章では、子どもたちが、「どんな答えを出してもＯＫ」で「答えがひとつに決まっていない」即興表現（……ということは「間違っている」と×をつけられたり、「合っている」と○をつけられたりすることがない時間です）にチャレンジすることを繰り返すと、どんな「場」が出来上がってくるのか、その際に、私がどんなことに気をつけて「場づくり」しているのかについて、詳しくお話ししてみたいと思います。

すぅさん
コラム①

私とインプロとの出会い

自己紹介の代わりに①

二〇〇一年十二月、千葉県小学校教員十七年目の私の人生に「インプロ」が突然降ってきました。「降ってきました」としかいいようがない「偶然」で「突然」の出会いでした。当時は、学習指導要領の改訂によって全国の学校現場で取り組みが始まったばかりの「総合学習」の計画を立てている時期でした。一九九九年秋に、総合学習の先進校である長野県伊那市立伊那小学校へ三日間研修に行き、そこで観た「6年生が自分たちで演劇を楽しそうに創っている姿」に衝撃を受けた私は、二年後の年末、久しぶりに会った友人の涼木さやかさん（注2）に、何気なく一つの話題として、その話をしました。「総合の授業で演劇をやってみたいけど、何の経験もないし、どうしたらいいかわからないんだ」……すると、彼女が突然言ったんです。「じゃあインプロやってみたら？」

「えっ？　インプロって何？」

「う〜ん、説明するよりやってみてほしいから、まずワークショップに来て」「あの〜？　ワークショップって何？」「（苦笑しながら）とにかく一度来てみて」

……これがその日に交わされた「学校の仕事を夢中でやって、夜は飲んだくれていただけ」の当時の私と、ミュージカル女優として活躍していた友人との、ちぐはぐな会話です。翌年二月、彼女がアシスタントを務めていた「即興・カニクラブ」（注2）に実際に参加してインプロに出会い、私の人生は「偶然」「突然」、思いもよらぬ方向へ動き出していくのです。

（コラム②［24ページ］に続く）

第2章

インプロをすることで、どんな「場」ができるのか？

この章では、私が「インプロ」（即興表現）で「場」をつくる時に大切にしていることを、六つの観点に分けて述べていきます。読者の皆さんが「つくりたい」と思う「場」をイメージしながら読み進めてみてください。

場づくりで大切にしていること

（1）今 子どもたちの「今」を感じ取り、向き合う（先入観を棄てる） ⬇以下、今で表示

☆「今日」の「子どもたち」を感じていますか？

～忙しさのあまり、昨日までの先入観で対応してしまっていることはありませんか？

～ネガティブな感情は、抑えなければいけない空間になっていませんか？

「昨日はどんな子だったか」「昨日まではどんな子だったか」という先入観にとらわれずに、「今、目の前にいる」子どもたちの「今日」に向き合うことを心がけています。そして、「場」にいるもの同士が、毎回、新鮮な気持ちで「今日の自分」として出会い直し、互いの「今」を認め合えるようなプログラムから、場づくりをスタートさせるようにしています。

その際に大切にしているのは「ネガティブな感情も表現できるようにする」ことです。不機嫌であること、体調が良くないこと、嫌いであること、やる気が出ないこと等を、表明してもいい「場」であることがわかるような即興表現プログラムを取り入れるようにしています。

⇩参照　29ページ「グーチョキパーアンケート」＆「スケールライン」
77ページ「ラクガキで出会う」

（２）全　全員の存在を大切にする（成果主義との訣別）　⬇以下、全で表示

☆子どもたち、どの子もみんな、一人残らず、愛おしいと思えていますか？
～そう思えていたはずなのに、結果を出させようとするあまりに、
　結果を出せない子を否定して追い詰めていませんか？

インプロの場づくりでは「全員の声を聞く」「全員の表現を受けとめる」時間を大事にしています。全員の声、全員の名前、全員のアイデア等を大切にできるプログラムを実施し、その中で、どんな表現をしても（あるいは、しなくても、できなくても）、ひとりひとりの「存在そのもの」を、認めていきます。秀逸な即興表現をした者を皆の前で「褒める」ことはせず（褒めるなら個人的にそっと）、その時の自己表現を（表現しないことまで）すべて受け止め、認めることで、誰もが「今、ここにいていい」と思える「場」をつくっていきます。

⇩参照　34ページ「好きなものなあに？」
　　　　78ページ「ノンバーバルサークル」
　　　　79ページ「ネームコール」

（３）多　どんな表現もＯＫ（多様性を認め合う）　⬇以下、多で表示

☆子どもたちの、どんなアイデアも面白いと思えていますか？
～自分の理想としている「子ども」や「クラス」の姿にそぐわない表現には、
　つい「ダメ出し」をしてはいませんか？

――答えがないという安心感は本当に不思議。（千葉県・６年生女子～インプロ６回目）二〇一九年一月＠柏市立第五小学

校（注3）

——ずっと、答えがあることをやっていたけど、（インプロで）答えがないことをやって、いろんな答えが、いろんな人にあったので、よかったです。（京都市・6年生男子〜インプロ12回目）二〇一八年@京都市立養正小学校（注3）

低学年の頃にインプロに出会って、毎年私の授業を受け続けてきた小学校6年生が、卒業前の最後の「ふり返りシート」に書いたコメントです。

インプロ（即興表現）には事前の「決めごと」がなく、「答え」もひとつに決まっていないので、人から「間違っている」とダメ出しされることはありません。どんな表現もＯＫの時間です。『「正解」か「間違い」かで判断し、自分や相手に「ダメ出し」をする』のではなく、『どんな表現も否定せずに受け入れ合える』ような、「多様な選択」を楽しめるプログラムを繰り返し実施して、「どんな表現もＯＫ」な「場」であることを、遊びの中で実感していけるよう、心がけています。

⇩参照　34ページ「好きなものなあに」　40ページ「なんでもありしりとり」　81ページ「これなあに？」
82ページ「変身ごっこ〜ナイフとフォーク〜フィジカルシアター」
86ページ「ワンタッチサンキュー」〜「ワンタッチ彫刻」　88ページ「サンキューゲーム」
89ページ「アイアムゲーム」　92ページ「シェアードストーリー」

（4）失OK 失敗だらけのチャレンジを支え合う（失敗も楽しむ）　⬇以下、失OKで表示

☆子どもの「失敗」を責めていませんか？
（あるいは「成功者」を必要以上にみんなの前で褒めていませんか？）
〜そうすることで、「失敗してはいけない」「失敗はできる限りしない方が良い」と考えざるを得ない「場」が出来上がってしまってはいませんか？

インプロ（即興表現）は未知へのチャレンジの連続です。どんな表現にチャレンジするのか、自分で決めて、自分で一歩踏み出していきます。他者から「間違い」と言われることはないのですが、自己評価としての「失敗」は、当たり前に起きます。即興であるがゆえに「失敗だらけ」です。そんなインプロに、誰もが「失敗」を恐れずチャレンジできる「場」をつくるために、『失敗』が当たり前に起き、『失敗』だらけのチャレンジを批判（否定）せず、互いに助け合い、支え合い、その『失敗』を皆で楽しめるようなプログラム」を繰り返し実施していきます。「失敗していい」、「失敗しようが上手くいこうがチャレンジの価値は変わらない」というメッセージを出し続けていくのです。

⇩参照
47ページ「タケノコニョッキ」　56ページ「宇宙人探し」　94ページ「名前手裏剣」
95ページ「1・2・3バトル」　96ページ「ミャンマーゲーム」　97ページ「アジャジャオジャジャ」
98ページ「椅子取りゲーム」　99ページ「ワンワードモノローグ」

（5）F フィクションの世界で、思いっきり表現を楽しむ（架空の世界にいざなう）

⬇以下、F で表示

☆子どもたちと一緒に、フィクションを楽しむ時間はありますか？
～本気で「遊ぶ」楽しみを、子どもたちと共有していますか？
～子どもも大人も、みんなで心から笑っていますか？感情を伝え合っていますか？
～言葉だけに頼らず、身体を動かして、「思い」を伝え合っていますか？

架空の設定を題材としたもの（フィクション）だからこそ、安心して「心」と「体」を動かして、夢中で「今」を遊ぶことができます。そんな時には、フィクションでも、心は本気で動いています。自分ではない「何か」に成り切って、身体も感情も思いっきり動かして、想像（創造）力の翼を広げていけるような「場」づくりを心がけています。

⇩参照　60ページ「振り返りニンジャ」　67ページ「ゾンビゲーム」　101ページ「エア掌」
101ページ「プレゼントゲーム」　104ページ「イエスレッツ」　107ページ「数字de感情表現」

（6）創　一緒に「つくる」（協働・創造）　⬇以下、創で表示

☆子どもたちが、じっくり何かを創り上げる時間がありますか？

～「時間がない」を理由に、結果を早く出せる方向へ、導きすぎていませんか？

互いのアイデアを否定せずに受け入れ合い、活かし合うことができるようになるまでには、時間がかかりますが、そうなると、ひとりでは決して創れない、多彩な表現がインプロから生まれてきます。一緒に創り出す楽しさを存分に味わえる「場」になるよう、時間設定やプログラム選択を心がけています。即興表現を「発表」する（互いに見合う）ことも、子どもたちの意識を高めるひとつの方法です。「発表」を目指して、インプロでの「協働・創造」を楽しむようになった子どもたちは、本気で自分のアイデアを「伝え合い」ながら、自然と「相手を尊重」する「チーム」になっていきます。（ここでの「発表」は、子どもたちがそれまでにたくさん経験してきた「繰り返し練習して上手になったものを発表する」こととは異なる、「今、初めてチャレンジすることを見合う」新たな体験です）

⇩参照　71ページ「ワンワードストーリー＋スライド」　109ページ「感情当て」
110ページ「ワンタッチオブジェ」　111ページ『何やってるの?』で場面が切り替わる即興劇」
115ページ「天使と悪魔」　117ページ「ミラー&シャドウ」

NEXT

皆さんが子どもたちと一緒につくりたい「場」と、重なる部分はありましたか？　**第３章**では、「場づくり」のポイント別にオススメするプログラムを、「現場レポート」（小学校のインプロ授業の様子）と共にお届けします。

すっさんコラム②

18年続く「インプロ」授業の始まり

自己紹介の代わりに②

千葉県白井市立池の上小学校（注3）では、5年生・6年生が「即興」や「演劇」に取り組む総合学習の授業が、もうすでに十八年間（二〇一九年現在）続いています。その初回授業が行われたのは、私が二〇〇二年二月に「即興カニ・クラブ」（注2）のワークショップでインプロを初めて体験した、そのわずか一か月後のことでした。

初インプロの後、「即興カニ・クラブ」の皆さんに誘われて、JR中野駅近くの居酒屋に飲みに行きました。そこで主宰の吉田敦さん（注2）に改めて私の思いをお話ししたのです。――鈴木「学校で総合学習の時間に演劇の授業をやりたいんです」「でも何の演劇経験もないので、どうやって始めたらいいのかわからなくて」――吉田さん「じゃあ、ボク、行こうか？」――鈴木「でも、来ていただくための予算がないんです」――吉田さん「子どもたちとは、単発のイベントでしか関わったことがなかったので、一回限りではなくて、継続的にじっくり子どもたちと関われるのならば、ギャラが出なくても行くよ」――鈴木「えっ、そ

んな……（ただただ感激）」――この話を受けて、翌日（月曜日）の朝、出勤した私は校長室に大野義和先生を訪ね、「吉田さんを招いて演劇の授業がしたい」とお願いしました。――大野校長「面白い。早速来月やろう！」――鈴木「えっ！　でも、もう二月ですし（私は来年度の話をしたつもりでした）……」――大野校長「いや、まずお試しで一回やってみればいいじゃないか」――鈴木「……（感謝！感激！）」

何かが動き出す時のスピードというのは、こういうものなのでしょう。あっという間に授業は本決まりになり、次年度からの5年生での授業実施を見据えて、年度末に、４年生三クラスが「即興」授業を体験することになったのです。

そこから四年間、月一回来校してくださる吉田敦さん、河合博行さん（「即興カニ・クラブ」アシスタント）(注2)、涼木さやかさん（コラム①に登場したミュージカル女優）の三人と共に、総合学習の授業を創っていきました。二〇〇二年度は5年生が年一〇時間「即興（インプロ）」に取り組み、その子どもたちが最上級生に進級した二〇〇三年度からは、６年生は、年間七〇時間、「演劇」の授業を時間割に組み込むことができました。水曜日の五・六時間目は、毎週「演劇」です。吉田さんたちが来校しない週は、私たち教員だけで進めていきました。子どもも大人も、何もかもが初めてのことだらけ。手探りで、無我夢中でした。私は、担任として、総合学習主任として、この授業に関わりながら、週末には、自分自身が東京の「即興カニ・クラブ」のインプロワークショップに通うようになりました。即興劇の舞台にも立ち始めます。そこでの様々な経験と出会いが、私を「早期退職」へと導いていくことになります。

（コラム③［52ページ］に続く）

第3章

インプロの現場レポート

場づくりのポイント別・32の「オススメ」プログラム

本章では、子どもたちとのインプロの現場の様子をレポートしながら、**今** **全** **多** **失OK** **F** **創**の、六つの場づくりのポイント別に、32の「オススメプログラム」を紹介していきます。

32の「オススメプログラム」の内容　各項目の見方

【ルール】……インプロのプログラムのルールを詳しく説明しています。

【所要時間】……基本ルールを一度体験するのに必要と思われる時間です。ルール説明の時間を含みます。

【実際の現場での進行例】……子どもたちとの現場で、私が実際にどんなふうに場を作り、プログラムを進行しているのかを、レポートしていきます。

【このプログラムのオススメポイント】……このプログラムをオススメする理由を、次の三つの観点からお伝えします。〈子どもたち〉〈場全体〉〈進行役〉

【現場でのエピソード／実施の意図】……現場で起きたエピソードや、私の実際の対応とその意図、子どもたちの「ふり返り」等を紹介します。

【失敗談】……このプログラムを実施した時の私の失敗談を紹介します。

【元ネタ】……このプログラムを私が初めて経験した「場」や、その時の進行役の方を紹介します。「元ネタ」の記述がないものは、様々な方々のワークショップに参加させていただいた経験をもとに、私（すぅさん）が、子どもたちとの現場で作り上げたオリジナルプログラムです。でも、私がオリジナルのつもりになっているだけで、実は既にそのプログラムは存在している、ということがきっとたくさんあると思います。どうかご容赦ください。

【年齢・経験に応じたアレンジ】……このプログラムの様々なバリエーション、応用例を紹介します。

オススメプログラム その1 「グーチョキパーアンケート」

場づくりのポイント **今** 子どもたちの「今」を感じ取り、向き合う

【ルール】子どもたちに「今日の自分」についての質問を投げかけます。

●質問例……「今日のご機嫌は？」「今の体の調子は？」「どのくらい空腹？」「今、どのくらいわくわくしている？」「今の季節はどのくらい好き？」

【実際の現場での進行例】

何年生であっても、初めて出会う小学生の子どもたちには、このプログラムから入ることが多いです。

「今日のご機嫌はどうですか？機嫌がとてもいい人は『パー』、不機嫌な人は『グー』、どちらとも言えない人は『チョキ』を、「せーの」のかけ声で一斉に出してください」「人の真似をせず自分で決めて、みんな一緒に出してくださいね」「出したら、そのまま黙って周りを見て、他の人が何を出しているかを見たら、手を下ろしましょう」

【所要時間】２～３分

【このプログラムのオススメポイント】

①正解の決まっていない「問い」に対して「自己決定」する経験ができる。〈子どもたち〉

②「ネガティブな感情も、少数意見も、表明していいんだ」というメッセージを、「場に」（視覚的にも）伝えられる。〈場全体〉

「グーチョキパーアンケート」

③プログラム優先にならず、「今、ここ」にいる子どもたちと向き合うことから、場づくりをスタートできる。〈進行役〉

【現場でのエピソード／実施の意図】

授業後の「ふり返り」シートで「今日のインプロの授業で一番心に残ったプログラムは何?」と訊くと、「グーチョキパーアンケート」を挙げる子が何人もいます。進行役としては「えー！　他にもっと楽しいこと、いっぱいやったじゃない」と思うのですが、「グーチョキパーアンケート」を一番に挙げる理由には「グーを出せてよかった」「友達の気持ちが分かった」などと書かれています。「自己決定すること」「ネガティブも表明すること」が非日常になっていることが伺えます。授業中、このプログラムを実施した直後に、「グー・チョキ・パー、どれがいい答え?」と訊くと、「パー」という答えが返ってくることが多いです。「えっ?　それじゃあ、体調や機嫌が悪いのは、いけないことなの?」と訊くと、戸惑う子どもたち。ネガティブな状態であること（「嫌い」であること）は、表明してはいけない「悪いこと」だと思って、日々過ごしているのでしょうか?　誰にだって体調が悪い日がある、誰にだってネガティブな感情の時がある、誰にだって人とは違う思いを持つことがある、そのことを柔らかく受け止め合える「場」をつくる出発点として、このプログラムを実施しています。

また、このプログラムは、子どもたちと向き合う自分の構えの再確認でもあります。「今日のその子」を感じ取ろうとすると、見逃していたことが見えてきます。

昨日とは打って変わってやる気に満ちている子／わずかな一歩だけど、踏み出してチャレンジしてみようとしている子／体調やメンタルコンディションが優れないのに無理している子、

そういう子どもたちに気づける自分でありたい。「見てるよ！どんな状態の時も味方だよ！安心してここにいていいよ！」というメッセージを発信し続けたい。そのことを再確認する大切なプログラムです。

【失敗談】

「グー」を出すことが、近くにいる人への「グーパンチ」に直結してしまう子がいて、喧嘩になってしまったことがありました。「グーもチョキもパーも、前ではなく、まっすぐ上に上げよう」とひと言添えるようにしています。

【元ネタ】「スケールライン」（左記参照……ケネス・テイラー氏のドラマワークで経験）（注４）

【年齢・経験に応じたアレンジ】

「グーグーパーパーアンケート」

選択肢を４段階にして「普通」をなくします。「グーチョキパーアンケート」に慣れてきた子どもたちや、はっきりした意見を表明したがらない子が多い集団の場合に活用しています。

「スケールライン」

部屋の中に架空の目盛（０～10、０～１００など）を設定して、その場所に移動することで「今の自分」を示すやり方で、高学年向きです。直線、円陣、Ｕ字、Ｖ字、縦軸に体調・横軸に機嫌（イラスト参照）など、様々な形が考えられます。移動した後、数値が近い者同士でフリートークするのも面白いです。

「マニアックライン」

参加者から「お題」を募集して実施します。自分だったら「10（１００）」の目盛りのところに行きたくなるよう

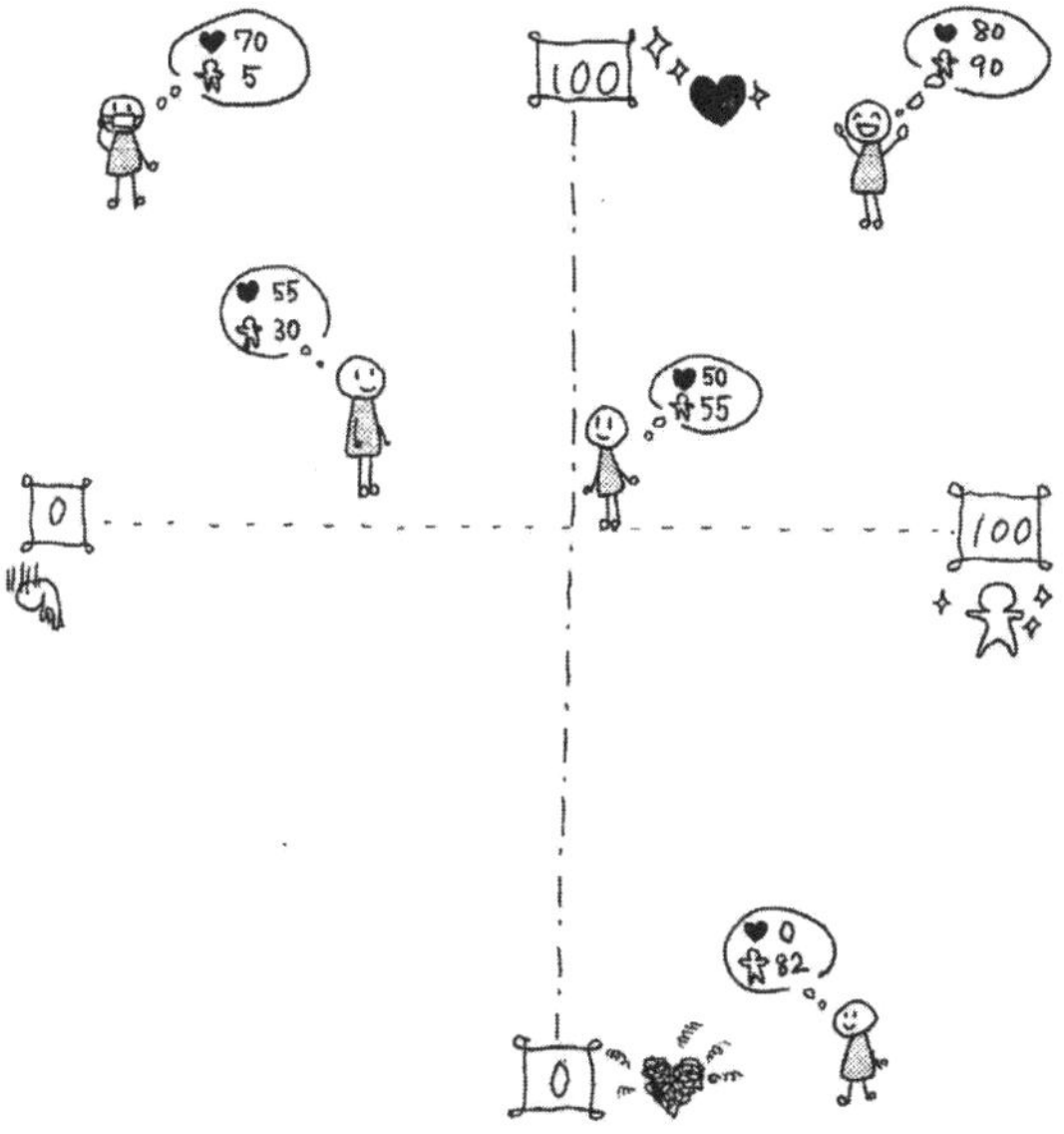

「スケールライン」

な「大好きなもの」「とても興味があること」（あるいは「0」の目盛りのところに行きたくなるような「大嫌いなもの」「まったく興味がないこと」）をみんなに伝えてもらい、他の参加者は、その質問に対する自分の「関心度」「好き嫌いの度合い」を10段階（100段階）で数値化し、その目盛の場所に移動します。出題者の趣味嗜好・興味に賛同してくれるマニアックな仲間がいるかどうかを「スケールライン」のルールで探していくわけです。好き嫌い、趣味嗜好は人によって様々であることが実感できる楽しいプログラムですが、本音を言えない状況にある集団では、微妙な空気になりますし、からかい・嘲りの多い集団で安易に実施することは、危険も伴います。

■「誰もがここにいていい」と思える場づくりのために……キーワードから語るこだわり……①……■

キーワード・その①「アイスブレイク？」→「アイスは、（無理には）ブレイクしない」

大学生たちの研修に呼んでいただいた時に、参加者から次のような質問を受けたことがあります。「アイス（緊張状態）って、どうやって壊せばいいんですか？」……衝撃的でした。「アイス（緊張状態）はブレイクする（壊す）べきだ」と考えていることが伝わってきたからです。その場にいた学生たちは、中高生対象の出前授業を控えた、真剣度の高いメンバーでした。「適切なアイスブレイクプログラムを実施して、場の緊張をほぐしてから授業に入ろう」と考えていたのでしょう。私は「アイス（緊張状態）は、乱暴に壊してはいけないと思うよ」という話をしました。緊張している参加者が居たら、「緊張しますよね。緊張していいんです。緊張している中でやれることをやっていきましょう」というメッセージを伝えることが、私の思うアイスブレイクだと伝えました。「では、アイスブレイクのためのプログラムはやらないのか？」という疑問が投げかけられました。いえいえ、むしろ逆で、たっぷり実施します。私のワークショップに参加してくださった方にはよく「インプロに入るまでが長いですね」と言われるくらいに。ただ、その時間で「アイスを壊さなければならない」と

は思っていないのです。（だから最近は「アイスブレイク」という言葉も使わないようにしています）

「アイスブレイクが終わったので、本格的なプログラムに入りましょう」という進め方をする方がいます。「アイスはブレイクできた（全員の緊張がほぐれた）」という前提なのでしょうか？　この時点でまだ緊張状態にいる参加者にとっては、これは余計にしんどいです。初対面の方同士の「場」では、緊張状態が続く方がいるのが当たり前だと思うので、私は「アイスブレイクが終了する」という考え方はしません。緊張していてＯＫ、その状態のままで参加してください、というメッセージを出し続けます。その方の「アイス」が、やがてほぐれていけばいい、それは今日ではないかもしれませんし、今一緒にいるこの「場」ではないかもしれません。それでも、「緊張の中で何かにトライした経験」は、必ず次に活きてきます。

▼「アイスは、（無理には）ブレイクしない」

「心を開いて積極的に人と関わって」「みんなと仲良くして」……私自身がかつて口にしていた台詞です。今、こうして文字にすると、穴があったら入りたくなります。私も「アイス」を力づくで「ブレイク」しようとしていました。それは「場」をつくる（授業やワークショップをする）人間の勝手な都合ですよね。慣れない場に出たら、緊張していて当然！　恥ずかしくて当然！　緊張も、恥ずかしさも、無くてはならない大切な心の動きです。心を開くかどうか、仲良くするかどうかは、参加者ひとりひとりが決めること。「心は開いても開かなくてもここに居られる」場、「仲良し同士ではなくても一緒にチャレンジできる」場を作るのが、進行役の仕事です。（キーワードから語るこだわり・その８「緊張していていい・恥ずかしくていい」（114ページ）も、合わせてお読みください）

※おまけの話　『アイコンタクト』

「ブレイク」という英語を使う時、脳内で「壊す」と訳してしまっているのではないでしょうか？　「緊張状態を壊す」のではなく、「ほぐす」んですよね。外国語由来の言葉の使い方は難しいです。あちこちでよく使われている「アイコンタクト」という言葉も私はとても気になっています。脳内で「相手と視線を真正面からぶつけ合うこと」と訳されていませんか？「そんなに相手の目をがっつり見つめる必要はない」場面で「アイコンタクトしましょう」という言葉を使うことで、参加者には、余計なプレッシャーがかかっているのではないでしょうか？「互いの表情が見えればそれで充分」と思う時には、私は「アイコンタクト」という言葉は使わず、「相手の表情を見ましょう」と伝えるようにしています。

オススメプログラム その2「好きなものなあに？」

場づくりのポイント
全 全員の存在を大切にする～成果主義との訣別
多 どんな表現もOK～多様性を認め合う

【ルール】進行役が問題を出します。
▼出題例……「一番好きな動物は何？」
→答えは声に出さずに、まずは心の中で思い浮かべるよう、予め伝えてから出題します。
▼答え方①……「せーの」のかけ声で一斉に口に出し、その後どんな答えがあったかひとつ残らず訊いていきます。
▼答え方②……円陣で、一人ずつ答えを訊いていきます。訊く前に、「思い浮かばない」「言いたくない（ナイショにしたい）」「一つには決められない」などの答えもOKであることを伝えます。
▼答え方③……一斉に静止画（ポーズ）で表したり、動き（無言のマイム）を加えて表したりします。（似たような動きの人で集まってみるのも楽しいです）
▼答え方④……ゆっくり歩き回って相手を見つけ、二人で立ち止まって、互いの「好きなもの」を伝え合い、挨拶

（一礼）したら、また次の相手を探しに歩き出します。

▼答え方⑤……答え方④のルールで実施しますが、声を出さずにミュート（口パク）で伝え合うようにします。口パクは、相手に伝わってても伝わらなくても一回ずつ。相手の答えが判ったら「ＯＫ」サイン、判らなかったら、両手を広げるなどの「?」サインを出して、挨拶（一礼）し、次の相手に向かいます。

④⑤では、時間を見計らって歩みを止め、どんな「好きなもの」があったかをみんなで確認し合います。

【実際の現場での進行例】

〜答え方①②④を組み合わせての実施。小学校１・２・３年生を想定しています〜

「（円陣で、進行役は中央に立ってみんなを見回しながら）どんな動物が一番好きですか？　あっ、まだ言わないで！心の中で考えてみて！　『せーの』で答えを訊きます。一つに決められない人は『決められない』という答えでＯＫですよ。好きな動物を、みんなには教えたくないという人は『ナイショ』もＯＫ、好きな動物がない人は『ない』もＯＫ、どんな答え方でもいいので、浮かんだ答えを言ってみて！　いくよ！　『せーの』（一斉に回答）……

では、今度は一人ずつ訊いていくね。自分で決めた答えなら、どんな答えでもＯＫです（一人ずつ回答）……

では、次の質問いきます。もし今、目の前に世界じゅうのすべての果物があると想像して！　どれかひとつ食べていいよと言われたら、何を食べたいですか？　声を出さないで考えて！　どんな珍しい果物もあります。アニメの中でしか見たことがないものも、野菜だか果物だかよくわからないものも、全部あります。果物が嫌いな人も、お腹ペコペコで何かひとつ食べるとしたら……と思ってみてください。好きな果物がたくさんある人もどれか一つ選んでみて。どうしても決められない人は『決められない』、言いたくない人は『ナイショ』もＯＫだよ。答え、決まった？……

今度は『せーの』は言いません。どうやって伝えるのか、今から二人でやってみるから、よく見ていて！……（デモンストレーション）……歩き回って相手を見つけます。二人で立ち止まって、まず挨拶（おじぎ）をしましょう。

そして互いの『答え』を伝え合うんだけど、声は出さないで……みんな『口パク』って知ってる?……そうそう、テレビの音だけを消した時のように、口だけ動くやつ……口パクは、相手に伝わっても伝わらなくても一回だけにします。相手の答えが判ったら指で『OK』サイン、判らなかったら、両手を広げて『?』サインを出してみて。『判らなかったから(口パク)もう一回やって』は無しにしましょう。そして、挨拶(おじぎ)をして、また次の相手を探して!……

(5分後)……では、どんな答えがあったか教えてください。(自分の答えではなく、口パクから読み取った答えを発表してもらい、すべて板書して確認。漏れている答えは本人から補足してもらう)」

【所要時間】10~15分

【このプログラムのオススメポイント】

① 誰もが自己表現する機会をもつことができ、どんな答えでも受け止めてもらえる経験ができる。〈子どもたち〉

② 口パクで伝え合うことで、本気で「伝え」、真剣に「受け取る」ようになる。〈子どもたち〉

③ 「思いつかない」も「決められない」も「言いたくない」も、その瞬間の表現として認められる「場」である(どんな答えでもOK)というメッセージを、参加者に伝えられる。〈場全体〉

④ 自分とは異なる様々な考えを受け入れ認めていく「場」ができあがっていく〈場全体〉

⑤ 参加者全員の声を聴き、参加者全員と1対1で向き合う時間を創ることができる。〈進行役〉

【現場でのエピソード/実施の意図】

外部講師として、小学校の教室でインプロを行う時は、必ず事前に担任の先生と授業の打ち合わせをさせていただいています。1年生でこの「好きなものなあに?」を実施したいと伝えると「歩き回って、次々に相手を替えるペアワークは、まだちょっと難しいのではないか？」とおっしゃるケースがよくあります。でも、子どもたちの様子から「大丈夫」と判断してトライしてみると、子どもたちは、我々大人の心配をよそに、びっくりするくらい集中して「好きなもの」を「口パク」で次々と相手を替えて伝え合うことができます。「伝えたい」「知りたい」という気持ちが、自然とペアワークのルールを守ることに繋がっていくのです。そして「口パク」には「果物の名前」の長さ、シンプルさが、ちょうどわかりやすくて、程よく難しくて、適しているようです。

子どもたちの「ふり返り」シートにも、「口パクがおもしろかった」という感想がとても多いです。一つのルールの工夫が、そのプログラムの魅力を大きく増すことを、このケースから学びました。

「言いたくないことは言わなくていい」というルールも、先生方との事前打ち合わせで、よく問題になります。「そんなことを言ってしまったら、子どもたちは本当に言わないし、やらないですよ」と言われ、私が「本当にやらなくていいんです」と答えて、先生方に驚かれたことがありました。「言わない（言えない）」子どもたちは、今、どんなルールで、何を表現すればいいのか、理解した上で「言わない（言えない）」場合も多いです。そこで無理に「整った答え」を求めるよりも、「言わない」こと、「やらない」ことも、その子の、その瞬間の「表現」のひとつと捉え、「今は言えない（言わない）」「今はやれない（やらない）」と意志表示することを「答え」のひとつと認めたい。そうすることで、授業に参加しない子がどんどん増えることを危惧する声が多いのですが、実際には逆に「表現すること」へのハードルが下がって、自分の意志を表明する子が多くなる実感があります。

【失敗談】

以前は、このプログラムを「好きなものなあに？」ではなく「仲間探し」という名称で実施していました。私のワークショップで「仲間探し」を経験した小学校教員の方が、クラスで実施したところ、「好きなもの」が他の人と違って、一人だけになってしまった子が泣き出してしまいました。どんな答えがあったかみんなで確認する時に「一人でもいいんだよ」「自分の好きなものを伝えられればそれでＯＫ」と話してはいたのですが、結局「仲間探し」というプログラム名で、「仲間を探そう」「見つかった仲間同士で集まってみよう」というのが当時の私のやり方だったので、子どもたちには「仲間が多い人が勝ち」のゲームのように伝わってしまいました。その報告を受けて、プログラム名を改め、細かい実施手順を考え直しました。

「妄想ごっこ」

【年齢・経験に応じたアレンジ】

小学校高学年には、「好きなもの」を訊くのではなく、「妄想ごっこ」をしようと呼び掛けて、次のようなお題を用意して実施しています。

（例）「いい匂い」と言えば思い浮かぶのはどんな匂い？／「変身」するとしたら何になりたい？／「瞬間移動」も「時間旅行」も可能だとしたら、どこへ行きたい？

【元ネタ】「連想せーの」（河合博行さん～即興・カニクラブ～の即興授業で経験）（注2）

「妄想彫刻」

言葉で「妄想」を披露する前にその「妄想」を身体表現で表し、他のメンバーはそれがどんな「妄想」なのかを想像して楽しみます。（お題の例）変身したいもの／今やりたいこと　等

「なんでもクエスチョン」

どんな答えでも受け入れ合って、楽しめるようになってきたら、全体で進行するのではなく、小グループで実施してみます。四～六人組くらいの人数で、お題も互いに出し合って、次々に質問し合っていきます。この場合も、どんな答えでもＯＫ。何も思い浮かばなくてＯＫ。言いたくない事は内緒でＯＫです。

■「誰もがここにいていい」と思える場づくりのために……キーワードから語るこだわり…②……………■

キーワード・その②「間違い?」→「正解は決まっていない」

子どもたちとのインプロ授業の初回冒頭で、私はよくこんな質問をします。「皆さんの学校での勉強（時間割）の中で、答えがひとつに決まっているのはどんな時間?」……子どもたちの回答を聞いたら、次は「じゃあ、答えがひとつに決まっていないのは?」と尋ねます。読者の皆さんの身近にいる子どもたちだったら、この問いにどう答えると思われますか?

最初の質問にはどこでも「計算」「漢字」という声がよく聞かれます。（一度「道徳」という声が出て、多くの子どもたちが頷いたときには複雑な気持ちになりましたが……）次の質問に対しては、反応は様々です。シーンとしてしまう子どもたちもいます。「そんな時間、学校にはないよ」というつぶやきが聞こえてきたこともあります。でもそんな時も「絵を描くときや、粘土で何か作る時は?」と訊くと、思い起こせるようです。「図工」「生活」「道徳」「学活」と、次々に出てくるクラスもあります。「国語でも理科でも社会科でも、答えが決まっている時もあれば、決まっていない時もある」という意見に多くの子が頷く素敵なクラスもありました。インプロは「答えがひとつに決まっていない時間」だと伝えて、授業を始めるようにしています。

▼「正解は決まっていない」

インプロは「間違っているから×（ダメ）」と言われることはない時間です。人を傷つける行動や言葉以外はどんな答えを出してもＯＫ。答えが浮かばなくてもＯＫであることを伝えます。インプロを活かしてつくる「多様な意見が認められる」「少数意見も認められる」「何も答え（考え）が浮かばないことも認められる」場づくりのスタートです。

※おまけの話　『オープニングアクト』

最近は、子どもたちとのインプロ授業の初回導入時に「インプロの説明」はほどほどにして、授業をサポートしてくれるスタッフと一緒に『オープニングアクト』(短い即興芝居)を披露するようにしています。ごちゃごちゃ理屈で説明するよりも、子どもたちが「インプロってこういうものなんだ」と、感じ取ってくれて、「自分もやってみたい」という意欲に繋がっていきます。読者の皆さんが子どもたちとの「場」でインプロに取り組むときも、複数での『オープニングアクト』をやってみませんか？　上手くいかなくていいんです。大人が本気で「何も決まっていないこと」に、協力しながら、四苦八苦しながらチャレンジしているところを見せられたらＯＫ。時間も5分あれば充分です。(そのためにはぜひ、場づくりに取り組み始める前に、職場の仲間たちと一緒に、複数でインプロを体験することをオススメします)

オススメプログラム　その3　「なんでもありしりとり」

場づくりのポイント　多　～どんな表現もＯＫ～多様性を認め合う

【ルール】しりとりによくある「～はダメ」という「禁止」ルールを、すべて撤廃して実施する「なんでもあり」のしりとりです。語尾に「ん」が付いてもＯＫ、同じ言葉が何度出てきてもＯＫ、文章でも、一文字でも、台詞でも、外国語でも、固有名詞でも、意味不明の言葉でも、何でもＯＫ。どんな答えが出てきても、それに対して「ダメ出し」したり「質問」したり「コメント」したりしないで、その答えを受け止めて、次に繋げていきます。

※バリエーション①……ジャンルを限定して遊ぶ(例・「おいしそうなもの」「〇〇っぽいもの」)

※バリエーション②……さらに面白く遊ぶための新ルールを自分たちで考える

【実際の現場での進行例】

参加者全員が日本語での「しりとり遊び」を楽しめる言語能力があることを前提として実施します。「母語が日本語ではない」等の理由で、言葉遊びが楽しめない参加者がいる場合には、**多**（どんな表現もＯＫ～多様性を認め合う）の場づくりのためのプログラムとしては、「変身ごっこ・ナイフとフォーク」（82ページ）等の身体表現プログラムを実施するようにしています。

「（三～四人組を組んで丸くなって坐った状態で）『なんでもありしりとり』を始めます。みんなが知っている『しりとり』とはルールが違うので、よく話を聴いてくださいね。『しりとり』をして遊ぶ時に『ダメ！』とか『ブー！　アウト！』って言われてしまうのは、どんな時ですか？……（子どもたちから『ん』が付いたとき、同じことを言った時、などの声が上がる）……うん、そうだね。今日はその『ダメルール』を全部ＯＫにしてみようと思います。『みかん』のように『ん』がついたら、次の人は『か』から始めても、『かん』から始めても、『みかん』全部使っても、なんでもＯＫです。『かんづめ』とか、『ミカンジュース』とか……。同じことを何回言ってもＯＫだから『みかん→みかん→みかん……』でもいいというルールです。何も思いつかない時は、『う～ん』って悩まないで、繰り返してみてください。『みかん食べたい』みたいに長くなってもいいし、『み』一文字でも、『みみみみ』みたいな意味の分からない言葉でもかまいません。誰がどんな言葉を言ってもＯＫにしてくださいね。……子どもたちから「じゃあ、いつ、終わるの？」の声……「そうだよね。失敗して終わるしりとりじゃないから、どこまでも続くよね。時間になったら合図をするから、そこで終わりましょう。最初のひと文字は何がいい？　どっち回りにするか決めて！『しり

「なんでもありしりとり」

とり』始め‼　……各グループの様子を見て、戸惑いが拡がっていたらいったん止めます。……どんなアイデアもダメ出しせずに受け入れ合えているか確認します。同時にそのルールに「戸惑っていること」も「当然」のこととして認めるコメントをすることも肝心です。……そして、この「なんでもありしりとり」を、もっと楽しむにはどうしたらいいか問いかけ、追加ルールを提案していきます。……（例）『おいしそうなもの』限定でやってみよう。だけどおいしそうじゃないものが登場しても文句なしだよ！」

【所要時間】 ルール確認５分〜最初の実施５分〜確認とルール追加３分〜追加ルールでさらに５分

【このプログラムのオススメポイント】

①どんなアイデアでも受け止めてもらえる安心感の中で、言葉遊びを楽しむことができる〈子どもたち〉

②慣れ親しんできた「遊び」のルールを変更することで、新たな楽しみ方を創造する経験ができる〈子どもたち〉

③ミス（間違い）が起こり、それについてのダメ出しによってプログラムがストップすることに慣れてしまっている子どもたちに、ここが「ダメ出しのない」「どんな表現もＯＫ」の「場」だというメッセージを伝えることができる。〈場全体〉

④「なんでもありのしりとり」を楽しめているのか、「自由過ぎて」戸惑っているのか、参加者の様子を見極めることで、その後の「グループ活動」のやり方、「言葉を使ったインプロ」の進め方を判断することができる。〈進行役〉

【現場でのエピソード／実施の意図】

「なんでもありしりとり」の感想には「おもしろかった」と並んで「難しかった」と書く子がとても多いです。子どもたちが何を「難しい」と感じているのかを、問いかけ、確かめるようにしています。もし「答えが決まっていない即興表現だから、無限の可能性の中から自己選択しなければならない。それが難しい」と感じているのならば、当然のことなので、「それでＯＫ！　その難しさにチャレンジする一歩を踏み出したことが素晴らしい！」と伝えます。しかし、「正解がないインプロなのに正解を求めてしまって、答えが見つからなくて難しい」場合や、「即興は、素早く反応しなければならないから難しい」「適切な言葉（あるいは笑ってもらえるようなウケる言葉）を言わなければならないから難しい」「上手にできない」と感じているのならば、そこを目指していないことを、ひとつひとつ丁寧に伝えるようにしています。

この、いつもとはルールが全く違うしりとりは、「自由でとっても楽しい」と思う子もいれば「どうしていいのかわからなくて戸惑う」子もいるし、「ルールがちゃんと決まっていなくて不快」に感じる子もいます。受け止め方は様々です。様々でＯＫ。「どう受け止めればいいのか」「どう遊べばいいのか」が決まっているわけではありません。「どんな答えでもＯＫ」というインプロの「場」を体感してもらって、日常との違いや、「なんでもあり」の楽しさ・難しさを実感してもらうために、このプログラムを実施しています。

【失敗談】

「なんでもあり」が楽しくなってくると、やがて必ず「しりとり」でさえない（語尾をとらない）言葉が飛び出してきます。（例えば「みかん」→（とっさに）連想して「りんご」）

以前は、「もうこうなると『しりとり』じゃないよね。じゃあ、ここからは自由に『連想』していきましょう」と言って、「しりとり」の枠を外して実施していました。でも、この「連想」という言葉が、「自由」さに繋がる人と、逆に「正しく連想しなくてはいけない」という「不自由さ」を感じてしまう人がいることが、経験からわかってきました。テレビ等のバラエティ番組での「正しくない連想」への「ダメ出し」（ブザーやチャイム）が、記憶に大きいのでしょうか？　なので今は、語尾をとらない言葉が出てきた後も『連想ゲーム』とはしないで、「あくまでも基本は『しりとり』です。でも、語尾をとらなくてもダメ出ししないでくださいね」と、「しりとり」ルールを残すようにしています。その方が「自由に」楽しめる人が多いんです。「連想」する遊びをする時には、「連想しよう」とは言わずに「思いついた言葉をなんでもいいから言ってみよう」に変え、プログラム名も「言葉回し」として実施しています。

【元ネタ】「リズムしりとり」（即興カニ・クラブの吉田敦さんのワークショップで経験）（注2）

【年齢・経験に応じたアレンジ】

「リズムしりとり」

（円陣で実施）全員で手を「ポンポン」と二回叩いたら、両手を開きます。その開いている間に、ひとりが何か言葉を言います。また全員で「ポンポン」↓隣の人が、しりとりで次の言葉を言います。「ポンポン」→「言葉」↓「ポンポン」→「言葉」→……この繰り返し。言葉は「なんでもあり」です。

「リズム de 言葉回し」

「リズムしりとり」から「しりとり」という枠を外して、「思いついた言葉を回して」いきます。思いつかなければ、回ってきた言葉を、そのまま繰り返して送ってＯＫ。「連想としておかしい」「つながらない」とは考えず、どんな言葉でもＯＫです。

「最後の言葉を決めて」

最後の言葉を予め決めておいてから、「しりとり」や「言葉回し」を始めます。誰かがその「最後の言葉」を言ったら終了です。

「好きなものしりとり」

二人組で、相手の好き（そう）なものを、しりとりで伝え合います。たとえ、好きでないものを言われても、コメントせず、笑顔で次の人に回すようにします。

「かっこつけしりとり」

一人が、「かっこいい（と自分が思う）もの」の名前を言いながら、その「もの」の形を身体でつくって静止、次の人は、その語尾から、次の「かっこいいもの」を考え、ポーズを取っていきます。

「からだしりとり」

五人前後のグループに分かれ、「しりとり」をしながら、「しりとり」で出てきた言葉を身体で表していきます。（例・「あ」から始める↓最初のグループの一人が「蟻（あり）」という言葉を思いついたら、グループ全員で一匹の「蟻」の形になる↓次のグループが「り」から始まることを考える↓……繰り返し。一匹の「蟻」になる時には「即興（相談なし）で同時に動く」・「短時間相談する」・「一人ずつポーズをとって加わっていく」等のやり方があります）

※バリエーション①……最初のグループが「蟻」になったことを言わずに形になり、次のグループは、何になったのかを想像し、相談し、確定させ（その「もの」に名前をつけ）、その語尾をとって、次に自分たちが成る「もの」を決めていくようにします（例えば「蟻」ではなく「虫」だと考えて、次は「し」がつくものになる）↓このルールは、あとで何に見えていたのか、何が伝わって、何が伝わらずズレていたのか、ふり返るのも楽しいです。

※バリエーション②……慣れてきたら、バリエーション①の「何になったか言わないで行う」からだしりとりを、グループではなく個人で実施していきます（円陣で）。

「絵しりとり」

紙に、絵を描いて次の人に回します。受け取ったら、前の人が描いた絵に「名前」をつけ、その語尾から始まる言葉の絵を、隣に描いて、また隣の人に回していきます。

「しりとり歌」

（一人）「♪り〜んご」↓（全員）「♪り〜んご」（「ふし（メロディ）」を真似します）↓（隣の人）「♪ごりら」（しりとりで浮かんだ言葉）↓（全員）「♪ごりら」（真似）↓……

※細かいルールは「なんでもありしりとり」に準じます。

キーワード・その③「ルールを守るべき?」↓「ルールは変えていい」

インプロを楽しむ時、ルールを守ろうとしない参加者が居ると、他のメンバーが、安心して「何でもあり」の即興表現に踏み込めないので、ルールはとても大事なのですが、「ルールを破る」つもりがなくても、思わずルールから逸脱してしまうことが、インプロではよく起こります。その「ルール逸脱」に対して進行役がどう反応するかが、その後の「場」づくりに大きく影響してきます。思わずルールを逸脱してしまうような表現をした人も、厳格にルールを守ろうとする人も、どちらも受け止めながら先に進んでいきたい。「思わず出てしまった即興表現」はとても素敵なので、人を傷つける言動以外は、多少のルール逸脱は笑って受け流していい「場」だというメッセージを進行役から出したいのです。その際にルール違反に気づいた人への声掛けも同時に行います。「気づく」人は「その場で生まれる即興表現をよく観て、よく聴いている」人なので、その姿勢を認めたうえで、「厳しい指摘はしないで、笑顔で流してね」と。

このメッセージを出す時は、「ルールを変える」チャンスでもあります。「思わず出てしまったルールを逸脱する即興表現」を「笑顔で受け流す」だけでなく、積極的に「それもOK」とする新しいルールを作った方が、インプロを楽しめる可能性が広がると判断したら、ルール違反を「注意する」のではなく、ルールの方を「変えていく」ようにしています。小さな変更で、プログラムの楽しみ方は、びっくりするほど広がっていきます。

(例えば、語尾をとらなくてもいい「しりとり」、静止しなくていい「写真」など)

▼「ルールは変えていい」

大人が提示したルールを自分たちで変えていいとは思えない子どもたちがたくさんいます。自分たちがいる「場」をより楽しいものにするために、ルールを変更する経験をしてほしい。自分たちでルールを作れるようになってほしい。インプロで遊ぶ時間の中にはそのチャンスがたくさんあります。

オススメプログラム その4 「タケノコニョッキ」

場づくりのポイント　失OK　失敗だらけのチャレンジを支え合う～失敗も楽しむ

【ルール】円陣で実施します。五人組が一番楽しめる人数だと思いますが、慣れてきたら大人数も面白いです。まず、掌を合わせて「タケノコ」の形を作ります。みんなで「タケノコ、タケノコ、ニョッキッキ！」の掛け声を掛け、それに合わせて、手を四回上から下へと動かし、一度静止するのが、ゲーム開始の合図です。（静止は、フライングを防止する意味もあります）↓誰か一人が、両手を合わせて上に伸ばしながら「1ニョッキ」と言い（タケノコが生えた状態）、「2ニョッキ」「3ニョッキ」……と、ひとりずつ声に出して、生えたタケノコのポーズをとっていきます。言う順番は決めません。声を出すリズムも決めません。ひとりひとりが自分のタイミングで生えていきます。もし二人以上声やポーズが重なってしまったら「1ニョッキ」に戻ってやり直しです。（全員重ならずに生えたら終了）

※ルール追加（1）……（勝ち抜きで実施）声や動きが他の人と重なってしまったらゲームから抜けていき、最後の一人になった人の勝利とします。最後に残った二人（以上）が、重なった場合は「同点優勝」とします。

※ルール追加（2）……（最後に生えるのも失格）最後のひとり（五人

「タケノコニョッキ」

の時は「5ニョッキ」になってしまった人も、声が重なった人と同様にゲームから抜けていくようにします。積極的なチャレンジを促すルールです。

【実際の現場での進行例】

基本ルールは、小学校低学年でも楽しめます。年齢、経験に応じてルールを追加したり、人数を増やしたりして実施しています。

「お互いの顔がよく見えるように、きれいに丸くなって向き合ってください。（両手を合わせてタケノコの形を作って）まず、掛け声を覚えましょう～タケノコ、タケノコ、ニョッキッキ！～掛け声に合わせて、手を四回上から下へ動かして、そこでみんなでピタッと（数秒）止めましょう。これはフライング防止です。運動会の徒競走の『位置について、ヨーイ』と同じですね。ここから順番を決めずに誰かが『1ニョッキ』と言いながら、タケノコを生やしてください（両手を合わせたまま肘を伸ばす）。生えた人は伸ばしたままでいてくださいね。次は誰かが『2ニョッキ』『3ニョッキ』……『5ニョッキ』まで一人ずつ生えたら終了です。どこかで『○ニョッキ』と言って生える人が二人以上重なったら、『1ニョッキ』からまたやり直しましょう。（基本ルールはここまでです。慣れてきたら、あるいは、物足りないようなら、ルールを追加します）今度は、誰かと重なったら、その重なった人はいったんゲームから抜けて、残った人で『1ニョッキ』からやり直しましょう。誰か一人になるまで続けます。（重なることを怖れて生えなくなる傾向がみられたら、さらにルールを追加します）ここからは、最後に生えるのも失格です。五人の時は『5ニョッキ』になってしまったら、重なった人と同じように抜けてください。（実施して四人に減ったら）四人の時は最後の『4ニョッキ』も失格ですよ。……（二人残ったら）二人でもルールは変わりません。重なったら失格、最後（二人目）になってしまっても失格です。……（もし二人同時に生えたら）これは「失格」ではなく「同点優勝」ですね！」

【所要時間】 基本ルール（説明から実施まで）10分

【このプログラムのオススメポイント】

①上手くいかないことが当たり前の遊びなので、失敗を怖れずに、失敗も楽しみながらチャレンジできる。〈子どもたち〉
②失敗を繰り返しながら、「場」のエネルギーを高めていくことができる。〈場全体〉
③様々なルール追加ができるので活用の幅が広い。（どんな年齢でも、何回でもＯＫ）〈進行役〉

「タケノコニョッキ」

【現場でのエピソード／実施の意図】

京都市立養正小学校（注３）のある年の４年生での一コマ……その日は「タケノコニョッキ」初実施だったので、基本ルールから始めて、様子を見てルールを付け加えようと思っていたのですが、あるグループが、基本ルールで何度も繰り返すうちに、「○ニョッキ」の「言い方」にバリエーションをつけて楽しむようになりました。（例えば、ゆっくり粘っこく「イ～チニョ～ッキ」とか）その遊び方が他のグループにも広がり、やがて、踊りだす子どもたちが現れ、即興タケノコダンスが誕生しました。このプログラムの実施の意図は「失敗を楽しんでほしい」ということなんですが、この時の子どもたちは、ただただ即興表現を楽しんでいました。１年生の時から毎年インプロを経験してきて、この日がインプロ授業８回目だった子どもたちが生み出した表現、私にとって、忘れられない幸せな記憶のひとつです。

【失敗談】

「タケノコニョッキ」をグループで実施すると、「審判」役が不在なので、もめることがよくあります。勝ちたくて（失格になって抜けるのが嫌で）ルールを守らない子が出てくるのです。それは想定内のことなので、「もめたら、いったんゲームをストップして話し合ってくださいね」「それでも、まだもめたら、すぅさんを呼んで相談してね」と伝えて、グループワークを始めているのですが、あちこちで同時にもめ出して収拾がつかなくなったことがありました。「失敗を楽しむ場を作る」どころか、一緒に遊んだ人（ズルをした人）への「嫌な感情」を生み出してしまいました。

「勝ちたい気持ち」も、「失格になってくやしい気持ち」も、「ルールをちゃんと守りたいという思い」も大切にしたい。「タケノコニョッキ」は「最後の一人に残ることを目指して真剣に戦う」ことと「セルフジャッジ（誰もが審判であること）」の両方を、同時に経験できる貴重なプログラムであるとも感じています。なので、その時々の子どもたちの「場」がどんな状況なのかによって、ルールを複雑にし過ぎないようにしたり、もし可能ならば各グループに一人審判役を置いたりして、臨機応変に対応するようにしています。

細かいルールがないために「もめる」ことも、よくあります。例えば、一人が「〇ニョッキ」と声を出して生えた時に、もう一人、声は出さず、手だけ動いた人がいた場合、どうするのか？　二人とも失格なのか？……そんな疑問点が出てきたら、すべてのグループの「タケノコニョッキ」をストップして、全体で話し合って、細かいルールを定めるようにしています。（例えば、声を出した人と、出さない人がいた場合、出さないで動いた人だけが失格）

「勝ちたくて思わずルール違反をしてしまった」人のことを「責める」のではなく、「冷静に、笑顔で、その人の行動にルールを適用する」ようにできたらいいですよね。それができたら、その「場」は「失敗を楽しめる場」になっていきます。インプロの発表会（即興のパフォーマンスです）に臨む6年生の子どもたち（**詳細は、第5章「白井市立池の上小学校」の項を参照**）に、「本番直前のウォーミングアップは何がいい？」と訊いたら、この「タケノコニョッキ」を選び、二十四人で大きな円陣を組んで、セルフジャッジで、何度も楽しそうに「失敗」してしました。あの時二十四人は「一緒に失敗できる」チームになっていました。

【元ネタ】「タケノコニョッキ」（Platformとのライブ現場で経験）（注５）お笑い芸人のネプチューンが出演していた「ネプリーグ」がまだ深夜番組の頃に使われ、広まったと言われています。

【年齢・経験に応じたアレンジ】

「サークルニョッキ」

円陣で、左右両隣の人と掌を合わせた状態で実施します。（左右の手は別々に動かします）。声や動きが誰かと重なってしまったら、その重なった方の手だけがゲームから抜けて、もう一方の手は引き続き参加します。隣の人と掌が離れてしまった場合も失格とします。それ以外のルールは、普通の「タケノコニョッキ」と同じです。

「チームニョッキ」

二チーム対抗で、各チーム横一列に並んで向かい合い実施します。声や動きが重なったり最後の一人になってしまったりしたら抜けなければならないのは同じですが、同じチームの者同士は重なってもＯＫというルールで相手チームと戦います。

「カテゴリーニョッキ」

数字ではなく、特定のジャンル（カテゴリー）の「言葉」を言っていきます。例えば「動物の名前ニョッキ」だったら、「イヌニョッキ」「ネコニョッキ」……というように。声や動きが重なったり、最後の一人になってしまったりしたら抜けなければならないのは同じですが、同じ動物の名前は重なってもＯＫとします。

すっさんコラム③

退職から還暦までの日々

自己紹介の代わりに③

私の手元に一冊の大学ノートがあります。一九九七年、三十八歳の時に作り始めた「転職準備ノート」です。忙しく働いていた三十代、小学校教員の仕事は「天職」だけど「辞めたい」と思っていました。「こんなにやりがいのある、面白い仕事はない。この仕事に就いてよかった（いろいろ回り道をして、二十六歳で就職）」と思うと同時に、「公立学校で働き続けるのはしんどい。自分の経験を活かした私塾を始められないだろうか？」と考えていたのです。「自分の経験」とは言っても、この頃はまだインプロには出会っておらず、学生時代にずっと関わっていた野外活動（キャンプリーダー）をイメージしていました。でも、お金のこと、家族のこと等、諸事情あって踏み出せずにいたら、学校で「総合学習」が始まりました。「それぞれの学校で、何をやってもいい」……そんな面白そうな時間ができるなら、学校を辞めるのを止めようと思ったのです。あの時、インプロに出会う前に退職していたら、今頃、いったい何をしているのやら……。

さて自分自身が「即興カニ・クラブ」に通うようになって、それまで千葉で「昼は学校、夜は酒場」にしか居なかった私の生活は一変しました。インプロ繋がりで、様々な分野の方と出会い、様々な生き方があることを知る中で、再び「辞めたい」思いが湧き上がり、抑えられなくなってきたのです。「あと、干支が一回りして還暦を迎えたら、定年退職」という年齢になっていました。五十代、学校で過ごすよりも面白い人生があるのではないか。そう考えて、次の仕事を何も決めずに、二〇〇六年三月、退職しました。

この時点では、教育からも、インプロからも離れようと考えていましたが、世の中そんなに甘くはなく、右往左往している時に、縁あって二〇〇七年四月、学校法人武蔵野学院に拾ってもらって大学と高校の教壇に立つようになりました。武蔵野高校で五年間日本史を教え、武蔵野学院大学（注6）では現在も非常勤講師を続けています。（「演劇表現論」「プレゼンテーション技術」担当）

二〇〇六年からは、自分でインプロのワークショップも開催するようになりました。最初は「仕事」というよりも「インプロをやりたいんだけれど、進行役がいないので、やってくれませんか？」という依頼から始まったのですが、そんな現場をひとつひとつ重ねていくうちに、出会った方々との縁に支えられて、いつしかそれが日々の生業となっていきました。二〇一八年は、一年間でのべ一三五か所、ワークショップ（インプロ授業を含む）に呼んでいただいています。毎年、試行錯誤の連続でしたが、やりたいことを夢中でやり続けることができて、とても幸せな時間でした。

二〇一八年末に還暦を迎えました。もし教員を続けていたら定年退職ですが、「ワークショップ屋」は始めたばかり、まだまだこれからです。インプロワークショップのファシリテーターとして、日々「場づくり」を続けていきます。

（コラム④［127ページ］に続く）

キーワード・その④「失敗はない?」→「失敗だらけのチャレンジを支え合う」

学生時代にインプロに出会い、たっぷりインプロを経験し、卒論もインプロをテーマに書いて小学校教員になった若い友人がいます。彼が小学校5年生の担任になって、始業式直後の教室で「今年一年、この教室で、一緒にたくさん『失敗』しながら、みんなで成長していこう!」と挨拶しました。その瞬間、多くの子どもたちが怪訝そうな表情をしたのだそうです。その様子に気づいた彼は、その理由を訊いて衝撃を受けます。「失敗していいって言う大人に初めて出会った」……5年生の四月ですから十歳です。そこにいた多くの子どもたちは、十年間「失敗」はするなと言われて育ってきていた訳です。「教室は失敗するところだ」という考え方が通用しないどころか、「初めて聞いた」という5年生たち。この子たちが特殊なのでしょうか? それとも、日本のあちこちで同じように言われて育っているのでしょうか?

残念ながら、各地の現場で「失敗を怖がってチャレンジできない」子どもたちの話を聞きます。失敗しないためにはどうしたらいいのか考えて、それが周到な準備や、日々の努力に繋がるのなら良いのですが、そうならずに、失敗しないために「失敗しそうなチャレンジはしない」子が増えているというのです。それならば「失敗しても大丈夫なフィクションの中で、思いっきり自己表現にチャレンジしてほしい」と考えた私は、当初ワークショップで、参加者の皆さんに「インプロで、思いっきりチャレンジしてください。インプロには失敗も間違いもありませんから」と伝えてきました。しかし、その「失敗も間違いもない」という言葉は、日々のインプロの現場で起きる様々な出来事とは、大きな「ずれ」がありました。答えがひとつに決まってはいないインプロでは、他者から「それは間違っている」と言われることはありません。正解が決まっていないのだから、「間違い」(不正解)もないわけです。でも、自分で「失敗」だと思うことはしょっちゅう起きます。私自身、「ああ、あんなことを言わなければよかった」「あの時、自分に働きかけてくれていた人の思いに気づけなかった」「お客様からいただいたアイデアを、演じているうちにすっかり忘れてしまっていた」等、失敗経験はいくらでも思い出すことができます。インプロでは、他者から「間違い」と言われないとしても、自己評価として「失敗」したと思う瞬間が次々と訪れるのです。「失敗も間違いもない」というメッセージは大変乱暴でした。今は「インプロには間違いはないけれど、失敗だらけ」という言い方をしています。インプロは「失敗」が当たり前に起きる。その「失敗だらけのチャレンジ」を互いに支え合っていこう、失敗も楽しんでいこう、と伝えるようにしています。「上手くいくまで頑張る時間」ではなく「失敗したまま終了してもＯＫの時間」を積み重ね、「失敗したけれどいい時間だった」と笑い合える「場」をつくりたい。そんな「場」でこそ、誰もが「失敗を怖れずチャレンジできる」と思うのです。

▼「失敗だらけのチャレンジを支え合う」

「失敗していい」と初めて言われた前述の５年生の後日談があります。私の友人は卒業までの二年間、彼らの担任でした。卒業直前の子どもたちが、自分たちが企画した「お楽しみ会」で、それぞれの「出し物」を披露し合っている動画を見せてくれたのです。「失敗できない、指示待ちだった子どもたち」とは思えない独創性あふれる表現の連続でした。「失敗だらけのチャレンジ」を支え合った二年間の賜物。画面の向こうの子どもたちのパフォーマンスも、彼らと過ごした日々を語る担任の柔らかい表情も、忘れられません。

白井市立池の上小学校（注３）では、二年間で二十回（三十時間）インプロし続けた６年生の一人が、最後の発表会直後のふり返りでこんなことを語りました。「インプロに出会って、『失敗していいんだ』と思うようになっていたけれど、今日、発表会を経験してみて『失敗していいんじゃなくて、そもそも『失敗』も『成功』もないんだって思った」……淡々とそう語る彼女の穏やかな笑顔、共に積み重ねてきたインプロの時間を思い、感無量でした。

オススメプログラム その5「宇宙人探し」

場づくりのポイント　失OK　失敗だらけのチャレンジを支え合う〜失敗も楽しむ

【ルール】全員がゆっくり無言で歩き回ります。地球人の中に地球侵略を企む宇宙人が数人紛れ込み、地球人のふりをして一緒に歩いているという設定です。（宇宙人役は、事前にこっそり決めておきます）↓黙って歩きながら、宇宙人を探します↓時間を見計らって歩くのをストップし、挙手制で「〇〇さんが宇宙人だと思う」と、侵略者を摘発していきます。正体がバレてしまった宇宙人は退場（見学）。地球人の仲間を宇宙人呼ばわりしてしまった者も退場とします。すべての宇宙人が摘発されたら（または宇宙人だけが残ったら）ゲームオーバーです。

※追加ルール……仲間を宇宙人呼ばわりしてしまって退場する地球人には、生き残っている地球人が貴重な情報を伝えてくれたことへの感謝の言葉や敬礼を送るようにします。

【実際の現場での進行例】

小学校高学年以上で、年度初めの時期ではなく、ある程度の時間一緒に過ごした者同士のグループを想定しています。

「宇宙人探し」

「まずこの部屋の中を、黙って、ゆっくり歩き回ってください。（歩く様子をしばらく見てから）走ったり、喋ったりしないでくださいね。ルールを付け足していくので、歩きながら聴いてください。もし自分が『誰かと同じ方向に歩いているな』『誰かの後を付いて歩いているな』と思ったら、向きを変えて、全員がバラバラの方向に歩いてください。（またしばらく様子を見て）もう一つルールを増やします。今、この部屋の中には『空いているところ』と『混んでいるところ』がありますよね。部屋じゅうの『混み具合』を一定にしてください。（6年生くらいの集団で「人口密度を均一にしてください」で通じる場合は、そう伝えます）

ではその歩き方のまま聴いてください。これから『宇宙人探し』という遊びを始めます。歩いている皆さんは「全員地球人」のはずなんですが、この中にこれから地球侵略を企む宇宙人が紛れこんできます。……宇宙人役は、これから決めますね。あとでやりたい人は立候補してください。宇宙人役の人は、何をやったらいいかというと、何も宇宙人らしいことはしてはいけません。地球人のふりをして、ただ歩いてください。地球人役の人は、その「ふりをしている人」を探し出して、地球を守りましょう。……では、宇宙人役を決めます。全員立ち止まって、目を閉じてください。宇宙人役をやりたいと思う人はそっと手を挙げてください。手を挙げたことを近くの人に気づかれないように、目を閉じる前に、隣の人から少し離れてくださいね。……（進行役は部屋全体を歩き回り、挙手した中から数名の掌にタッチする）今、タッチされた人が宇宙人です。手を挙げてくれたのに、タッチされなかった人は、ごめん！　気持ちを切り替えて「地球人役」をやってください。

では、目を開けて、先ほどの歩き方で、静かに歩きましょう。……（45秒〜1分程度歩く）……ストップ！　宇宙人、見つかりましたか？　どうやって宇宙人を退治（摘発）するか、そのルールを説明しますね。……ここまで「怪しい」と感じる人が見つかっていたら、手を挙げてください。私が指名したら、宇宙人と思われる人の名前を言ってください。私はその人のところへ行って、「宇宙人ですか？」と尋ねます。訊かれた人は正直に答えてください。もしその人が「宇宙人」ならば、見学場所（予め決めておきます。黒板の前……とか）に移動してください。だけど、もし「宇宙人」でなかったら「地球の仲間を間違えて宇宙人だと摘発してしまった人」が見学場所に移動して、あとは見学してください。（このルールに戸惑う子どもたちからは、小声の「えー」が、よく聞こえてきます）手を挙げにくいよね。でも、その人が間違えてくれたおかげで、少なくとも一人は宇宙人ではないという、貴重な情報がもたらされるわけだよね。だから地球人の皆さんは、敬礼しながら「ご苦労様でした」「ありがとう」の声で送り出しましょう。さあ、地球を守る「勇者」になってくれる人、いませんか？……（摘発の手が挙がらなくなったら、また三十秒程度歩いて探す時間を取り、再び「摘発タイム」へ、という流れを繰り返します）……

宇宙パトロールからの情報によると、侵入した宇宙人はあと○人。そして地球人の皆さんに残された時間は、あと○分です。さあ、地球を守ることはできるのでしょうか？」

【所要時間】10〜15分

【このプログラムのオススメポイント】

① フィクションの劇遊びを楽しむ中に、様々な「チャレンジ」ができる要素（場面）があり（宇宙人役・地球人役・宇宙人を摘発する勇者役など）、それがうまくいかなくて（あるいは挙手する勇気が出なくて）悔やむことが多いので、ひとりひとりがそれぞれの「チャレンジ」をふり返って、次回実施時への意欲を持つことができる。〈子どもたち〉

② 失敗だらけの劇遊びをみんなで楽しむことで、「場」のエネルギーを高め、協働するチームを創っていくことができる。〈場全体〉

③ このプログラムを繰り返し実施することで、ひとりひとりの「思い」を生かした「チャレンジ」の場をつくることができる。〈進行役〉

【現場でのエピソード／実施の意図】

このプログラムでは、予想もしなかった面白い出来事が、各地の現場で次々に起きました。

▼その1　宇宙人役の子が、いきなり手を挙げて怪しい人を摘発しようとし、失敗して退場してしまう。（宇宙人役

の子も、自分以外は誰が宇宙人なのか知りません。怪しい人を見つけて言いたくなっちゃったのかな)

▼その2　明らかに宇宙人として指名され、前半はそうふるまっていた子が、最後に一人だけ残ったら「宇宙人役」でいることをやめてしまい、時間切れで「誰が宇宙人?」という段になって宇宙人が不在になる。(最後に目立つのが恥ずかしくなったのかも?　それとも、地球が滅亡とするいうエンディングが嫌だったのかな?)

時には「自分が宇宙人だとばれないようにするために、確信をもって挙手して他の宇宙人を摘発する知能犯」も現れます。指名されていないのに宇宙人だと言い張る者も出てきます。誰も摘発の挙手をしないので、私が「そこの一般市民の方、お手伝いください。誰が怪しいと思いますか?」と発言させた子が、実は私自身がさっき指名した宇宙人だったり……(これは私の凡ミスです)。情報は錯綜し、状況はどんどん変わります。だから面白いんです。

【失敗談】

摘発の「手」が挙がらないで、重い空気になってしまったことが何度もありました。「頑張って手を挙げよう」「自分が退場しても地球が守られればいいよね」と、焦り気味に子どもたちに呼びかけていたのですが、それよりも、ある日思いついた「『勇者』求む!」「『探偵』求む!」の方が手が挙がることに気づきました。フィクションの世界にいざなう「仕掛け」の工夫が「場」にエネルギーを生み出すんですね。

【元ネタ】「主人公探し」(伽羅さんのワークショッププログラムを、主催者であるカクテルホイップの「ひめ」がブログで紹介していたもの)(注7)

【年齢・経験に応じたアレンジ】

「こんにちは・さようなら」

地球人の中に地球侵略を企む宇宙人が数人紛れ込み、地球人のふりをして一緒に歩いているという設定は「宇宙人探し」と同じです。全員が目を閉じて、掌を広げ、手の甲を胸に当てて身体を守りながら、ゆっくり歩きます。地球人同士が接触したら囁き声で「こんにちは」と挨拶を交わしますが、宇宙人役の人は、接触したら、冷たく「さようなら」と言い放ちます。「さようなら」と言われてしまったら、悲鳴を上げ、目を開いて、ゲームから離脱します。周囲に安全を守るスタッフを配置して、歩き回る範囲を決めて実施し、人数が減ってきたら。範囲はだんだん狭めていきます。宇宙人役の人数を偶数に設定しておきます。宇宙人同士が接触したら、宇宙人も離脱するので、地球は守られます。（宇宙人役が奇数だと、地球滅亡必至の怖いゲームになります）

【元ネタ】「こんにちは・さようなら」西海真理さんのワークショップで経験（注４）

オススメプログラム その6「振り返りニンジャ」

場づくりのポイント **F** フィクションの世界で思いっきり表現を楽しむ～架空の世界にいざなう

【ルール】「だるまさんが転んだ」の忍者ヴァージョンです。オニ役（「殿」or「姫」）が振り向く時の台詞は「そこにいるのは誰じゃ？」等、時代劇風に行います。「殿」or「姫」が振り向いた時は、忍者たちは「木」「葉っぱ」「壁」等に変身して『静止』しなければなりません。動いてしまったり、笑ってしまったりして、忍者だとばれたら、スタートライン（または最後方の忍者屋敷）から出直しです。目的は「殿」or「姫」に奪われた『宝』を取り返すこと（『宝』は「殿」or「姫」の足元に置きます）。忍者たちの先頭に「忍者の頭領」役（「殿」or「姫」以外の大人）を配置し、前進する時は「忍者歩き」で、ゆっくり歩きます。（頭領を追い越してはいけないルールです）。頭領を追い越してしまった時も、スタートライン（または最後方の忍者屋敷）に戻されます。『宝』を奪い返し、スタートラインまで持ち帰ったら、忍者側の勝利です（帰路は、頭領が先頭でなくても良い）。

【実際の現場での進行例】

小学校低学年を想定しています。インプロ初めての時に、四十五分授業の後半によく実施しています。このプログラムの前に「ニンジャ歩き」をしたり、「変身ごっこ」（82ページ参照）でいろいろなものに変身したりして、『忍者修行』を重ねておきます。実施に際しては、進行役以外の「大人の配役」（サポートスタッフ）が一～二名必要になるプログラムです。

「さて、忍者修行をして、晴れて一人前の忍者になった皆さんに、初めての任務を与えます。近くのお城に、悪い殿様がいます。この殿様が、忍者屋敷に昔から伝わる大切な宝物を奪ってしまいました。皆さんには、それを取り返しに行ってもらいたいのです。今回の任務で皆さんのリーダーとなる忍者の『頭領』を紹介しましょう。」

『頭領』役の大人が登場し、お城に宝物を奪いに行く時の忍者の「掟」を語り始めます。……「私（頭領）が先頭に立って、ゆっくり、ニンジャ歩きでお城に向かう。決して頭領を追い越して先に行ってはならない」

ここで『殿』役の大人が（悪そうに）登場し、奪った「宝物」（人形等、奪い合っても安全なものを使用する）を紹介し、自分が居るお城の場所を定めて（教室での実施ならば黒板の前など）、足元に宝物を置きます。……「わしは時々『そこにいるのは誰じゃ』といいながら、ふり向くので（実演）、忍者は絶対に近寄れないぞ」

それを受けて頭領が忍者たちに指示を出します。「もし

「振り返りニンジャ」

殿様がふり向いたら、さっきの忍者修行で変身したことを思い出し、忍者だとばれないように変身するのだ！ここはお城の庭なので「木」か「花」になるのだ。皆の者よいな！」（ここで再び『殿』が語る）「忍者たちよ！もし忍者の掟を守らずに頭領より前に出たり、動いているところを見つかって忍者だとばれたりしたら、そんな未熟者は忍者屋敷に送り返すぞ！」

教室で実施（お城が黒板の前）の場合は、教室の後方にスタートラインを設定し、そこから頭領を先頭にニンジャ歩きを始める。殿様に「掟破り」や「動き」を見つかったら、スタートラインまで戻り、出直さなければならない。（もしもうひとり大人のスタッフがいる場合は、教室後方の隅に「忍者屋敷」があると想定して、そこに「長老」役の大人が待機、送り返された忍者に再修行～簡単な動きで良い～をさせて、もう一度、頭領のもとへ送り出すようにする）

「ニンジャたちよ！　宝物に手が届くところまで来たら、頭領よりも先に宝物を奪って良いが、忍者屋敷に戻るまでに、ふり向いた殿様に動くのを見つかってしまったら、宝物は再び殿様のものだぞ！」（宝物を忍者屋敷まで持ち帰ったら、任務終了）」

※大人のスタッフの配置例

◆大人が二人……進行役が「殿」になり（「姫」でもＯＫ）、もう一人が忍者の「頭領」となる。

「頭領」役は全員が楽しむためには不可欠である。（63ページの「実施の意図」を参照）

◆大人が三人……進行役が「殿」（または「姫」）、一人が忍者の「頭領」、もう一人が忍者屋敷にいる「長老」となる。

◆大人が三人・別ヴァージョン……スタッフの一人が「殿」（または「姫」）になり、もう一人が「頭領」になり、進行役は、「殿の家来」となって、殿と共に忍者探しをして、発見したら送り返す。

◆大人が四人……スタッフは「殿」（または「姫」）、「頭領」「長老」。進行役は、「殿の家来」となって、殿と共に忍者探しをして、発見したら送り返す。

進行役（授業者）は、「家来」のポジションが、一番自由に動き回れて、子どもたち一人一人と関わりながら、プログラムを進行することができるので、私はできる限り三人以上スタッフを確保し、自分は「家来」になって実施するようにしています。

【所要時間】10～15分

【このプログラムのオススメポイント】

① 自分ではないものに成り切って、架空の設定の中で、心も体も本気で動かして遊ぶことができる。〈子どもたち〉

② 真剣に「変身」することで、「静止」する習慣が身につく。〈子どもたち〉

③ 宝を奪うという目的に向かって、みんなで協力する「場」が出来上がっていく。〈場全体〉

④ 子どもたちと一緒にドラマの中にとび込む「ティーチャーinロール」の手法（ケネス・テイラーさん（注４参照）のドラマワークで経験）を実践できる〈進行役〉

【現場でのエピソード／実施の意図】

どこの現場でも、子どもたちに大人気のプログラムです。「頭領（先頭でゆっくり歩く役目）を追い越してはいけない」というルールを設定することで、一部の「行動が素早い子」だけが活躍するのではなく、全員が、この架空の設定を長い時間楽しめるようになります。後ろの方に居て、全然、前進してこないように見える子どもたちも、実は多くの子が「毎回殿がふり向くたびに真剣に変身」していて、「殿が見ていない時には、ほんの少し前進」することで、このプログラムを本気で楽しんでいます。その楽しみを奪わないようにするには、先頭でスピードをコントロールする『頭領』役が、不可欠です。

京都市立養正小学校（注3）での、ある年の1年生のインプロ授業初回での印象的な出来事を紹介します……忍者修行の時に何か怖いことがあって泣き出してしまい、（怖かったのはもしかしたら私の、変身を促す大声だったかもしれません）「振り返りニンジャ」開始時は、担任の先生に抱かれていた女の子がいました。しばらくすると、泣き止んだ彼女は、真剣に「変身」して「静止」しているニンジャたちの横に、カエルとなって登場したのです。「殿の家来」の爺さん役だった私は、ぴょんぴょん跳びはねているカエルを見て、「これは忍び込んだニンジャではなく、カエルじゃな。放っておいて構わんな」とクラス全員に聞こえるようにいいました。するとその声を聞きつけた子が「よし、じゃあ自分もカエルになる」と瞬時に判断したらしく、「静止」を解いて、ぴょんぴょん跳ね出しました。そうしたら、一気にクラスの半分以上がぴょんぴょん、ぴょんぴょん……!! その反応の早かったこと！ 一匹目のカエル登場からわずか数秒後には、殿様のもとにカエルの大群が押し寄せ、宝物はあっさり取り返されたのでした。あの時私は、泣き止んだばかりの彼女を「動いたからばれてしまったニンジャ」として忍者屋敷送りにするのは忍びなく、殿の宝物に向かって進んでいるようにも見えなかったので（彼女はただただ楽しそうに跳んでいました）、放っておこうと思ったのです。でもそれだと他の必死で静止しているニンジャたちが「捕まらないのはおかしい」と思う可能性もありそうだったので、わざと大声で「カエルは捕まえないこと」を宣言したのです。まさかその数秒後に大群が襲来するなんて思いもよらず……。大喜びのニンジャたち、苦笑いの「殿」と「私」、最後尾（忍者屋敷）に居たので、何が起きたのか見えていなくて、キョトンとしている担任の先生……。

即興の劇遊びの楽しさが凝縮された数秒間でした。

【失敗談】 実施当初は、ニンジャの誰かが宝物を手にした時点で「終了」にしていたのですが、取り返した「喜び」のあまりに、大勢が一気に走り出したり、宝物に殺到したりして、怪我人が出そうになったので、「忍者屋敷」（スタートライン）までの帰路も、変身（静止）を繰り返しながら持ち帰るように、ルールを変更しました。ニンジャたちが夢中（本気）になるので、テンションの上がりすぎが危険に繋がらないような配慮が必要です。

【元ネタ】神尾タマ子さん「振り返りニンジャ」～雑誌「演劇と教育」（注8）より～

【年齢・経験に応じたアレンジ】

「振り返りニンジャ・帰路のルール追加」

教室よりも広い場所（多目的スペースや体育館）で、お城（「殿」が居るところ）と、忍者屋敷（スタートライン）の間の距離を長くして実施します。誰かが「宝物」を取り返し、忍者屋敷まで持ち帰る途中で「殿」がふり向き忍者たちが全員「静止」した際に、「殿」に「宝物を持っている人」を一人だけ名指しできる権利を与えます。的中すれば、「宝物」は「殿」のもとに戻り、外れたらゲーム続行です。誰が持っているか「殿」にわからないように、全員が協力して持っている（あるいは、持っていない）演技をする楽しみが加わります。

【元ネタ】「だるまさんが転んだ・帰路のルール追加」～武田富美子さんの「トム・ソーヤを遊ぶ」ワークショップで経験（注9）

「振り返りニンジャ＋だるまさんが転んだ」

頭領を追い越してしまったり、変身中に動いてしまって「殿」（「姫」）に「忍者」であることがばれてしまったりしたら、スタートラインに戻されるのではなく、「だるまさんが転んだ」の時のように、捕まって、一列に手を繋いで助けを待つようにします。仲間の忍者が繋ぎ目を「切った」という掛け声とともに切ることができたら逃亡できます。

「振り返りニンジャ・小道具追加」

「お城」と「忍者屋敷」の中間地点に小道具をいろいろ置いておき、そこから先は、その小道具を手にして（身に着けて）進み、変身（静止）する時も、その小道具を何らかの形で活用しなければならないルールで遊びます。

「魔法使いの鍵・縦型で実施」

「振り返りニンジャ」の「殿」の位置に椅子を置き、そこに魔法使い役が目を閉じて坐り、その椅子の下に鍵を置きます。「盲目の魔法使い」と「宝物の倉庫の鍵を盗みにきた忍者」という設定です。スタートラインから、ニンジャウォークでそっと歩き出し、鍵を奪いに行くのですが、途中にもラインを設定し、そこから先の空間には忍者は1人ずつしか入れない掟を定めます。二人以上入ったらいったんストップし、一人になるように譲り合います。一人に絞り込んで侵入できたら、そこから先は魔法使いと一対一の勝負です。忍者の気配を感じたら、魔法使いは、目を閉じたまま、その方向を指差します。（一人の忍者に対して、三回指差してよい）実際にその方向にいたらアウト。（スタートラインまで戻る）途中のラインを二人以上で越えたのにストップしなかったり、譲り合わなかったりした場合もアウト（スタートラインまで戻される）。繰り返しアウトになる者が出てきたら、アウト二回で退場（スタートラインから出られない）というルールを加えることもあります。

【元ネタ】「キーパー・オブ・ザ・キィ」（ケネス・テイラー氏のドラマワークで経験）（注4）

円陣で実施されていた「キーパー・オブ・ザ・キィ」（魔法使いの鍵）と、「振り返りニンジャ」を融合させたものが、「魔法使いの鍵・縦型」です。円陣の時は、「忍者が一人しか入れないライン」は、目に見えないサークル状の「結界」なので、子どもたちに、ラインをわかりやすくするために、空間を「縦型」に使ってみました。円陣の（魔法使いは中央に坐る）「キーパー・オブ・ザ・キィ」も、高学年にはオススメです。

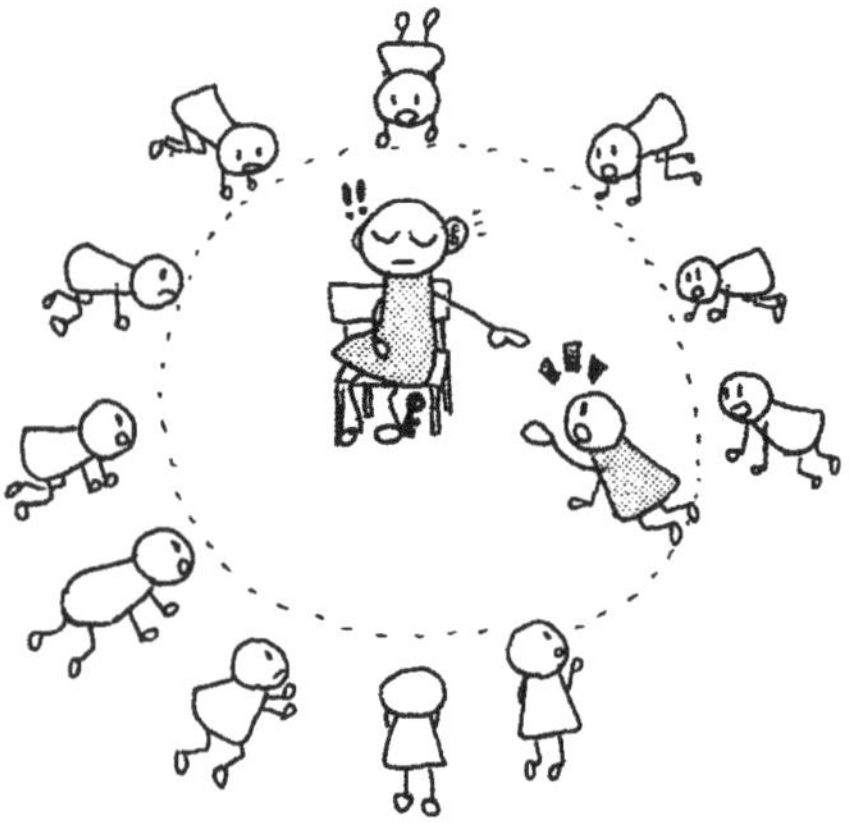

「キーパー・オブ・ザ・キィ」

オススメプログラム その７「ゾンビゲーム」

場づくりのポイント **F** フィクションの世界で思いっきり表現を楽しむ～架空の世界にいざなう

【ルール】 円陣の中央に、進行役がゾンビ役として立ちます。ゾンビは、両手を前にダラっとのばした姿勢で、誰か一人にゆっくりと近づき、その人の肩や腕にタッチしようとします。（ゾンビは、途中でターゲットを変えることはしません。真っすぐ歩きます）ゾンビに狙われたら、身を守るために、右隣、または左隣の人の名前（名札に書かれている「呼ばれたい名前」）を、「助けて」という気持ちを込めて呼びます。呼ばれた人は、ゾンビと呼んだ人との間に両手を広げて立ちはだかって、「来るな～！」などの言葉とともに、その人を守ります。（ゾンビは防がれたら、中央へ戻って出直しです）もし、ゾンビにタッチされてしまったら、その場で、ゾンビのポーズをとって、ゆらゆら揺れていなければなりません。（歩くことも、人を助けることもできない『ゆらゆらゾンビ』です）しかし、その後、他の誰かが誰かに助けてもらってゾンビから身を守ることに成功したら、ゆらゆら揺れている人も、元通りに復活することができます。

※**バリエーション**……助けた人と助けられた人は、その場に座って見学者となり、全員が助かったらゲームを終了します。（「見学者」に助けを求めることはできません）

「ゾンビゲーム」

【実際の現場での進行例】

小学校1・2・3年生を想定した「ゾンビゲーム・基本形」の進行例です。

円陣の中央に、ゾンビ役の私が両手をだらっと前に伸ばして立ちます。

「私はゾンビです。ひとりぼっちの私は仲間が欲しいんです。(と、言いながら、ゆっくり誰か一人の方へ近づいていきます。この時点で怖くて泣きだす子もいるので、最初は、サポートスタッフやその学級の先生などの大人に近づくようにしています)……逃げてはいけません。ゾンビに向かって来てもいけません。皆さんはそこから動けないルールです。(「えーっ!」の声、多数。さらに近づく)……ゾンビにタッチされたら、あなたも「ゾンビ」です。(「やだーっ!」の声の中、ゾンビは「怖かったら、泣いてもいいです」などと言いながら近づき、タッチします)

「ゾンビになっても、そこから動けません。その場で『ゆらゆらゾンビ』になっていてください。(両手を前に出してゆらゆらする姿勢を見せる)……そうならないように、自分を守るやり方がひとつだけあります。ゾンビが近づいてきたら、右か、左か、どちらかの(隣に立っている)人の名前を呼んでください。(「呼ばれたい名前」等で名札を作成して着用している場合は、その「呼ばれたい名前」で呼ぶように指示します)……呼ばれた人は、呼んだ人の前に両手を広げて立って、ゾンビに向かって『来るな~!』と叫んでください。(先ほど一度「ゆらゆらゾンビ」になった人に、元の姿勢に戻ってもらって、再度近づいていき実際に隣の人を呼んでもらいます)……そうしたらゾンビは『ああ、この人には助けてくれる仲間がいるんだな』と、あきらめて戻ります。(寂しげに円陣の中央へ戻り、くるっと向きを変えて、第二のターゲットに向かい、歩き出します)……ここまでが基本ルールです。」

【所要時間】10~15分

▼初めての実施の時には、ゾンビ役の私は、実際には子どもたちには決して「タッチ」せず、隣の人が助けに来ら

れるよう、速度を落として待つようにしています。そして、「助けた人と助けられた人は、坐って観ていてね」と円陣のその場所に坐ってもらい、「坐っている人は呼ぶことはできないルールです。少し遠いけれど、坐っている人の向こうにいる立っている人が、今のあなたの「隣の人」だよ、と、「隣人は刻々変わるルール」であることを伝えます。二人ずつ坐っていくので、参加者が三十人ならば、ゾンビは十五回、子どもたちを襲撃して、十五回「助け合い」が成立して終了です。

▼サポートスタッフの大人が居る場合には、その大人を「ゆらゆらゾンビ」にした後、「ゆらゆらゾンビ復活ルール」を説明します。……（「ゆらゆらゾンビ」がいる状態で、次のターゲットに近づいていき、そこで「助け合い」が成立したら）今、隣の人を助けたその「力」が「ゆらゆらゾンビ」も、助けるんだよ。（と言って、ゆらゆらゾンビの人の腕を下げながら）「元の名前の人間に戻りました～！　復活です！」……この「復活ルール」は、ゾンビゲーム実施二回目以降、子どもたちのこともタッチして、「ゆらゆらゾンビ」にしていくようになった時に、子どもたち全員が「ゾンビと戦う集団」になっていくための「仕掛け」でもあります。

【このプログラムのオススメポイント】

① 実際に声を出し、身体を動かし、リアルに助ける（助けられる）経験ができる。〈子どもたち〉
② 全員で、ゾンビと戦う「チーム」になっていく。〈場全体〉
③ ゾンビとして子どもたちに近づいていくことは、それぞれの子どもたちとの「短い即興劇」を演じることであり、大切な「出会い」の時間であり、どんな子どもたちが居るのかを感じ取る時間にもなる。〈進行役〉

【現場でのエピソード／実施の意図】

子どもたちは、「ゾンビゲーム」が大好きです。繰り返し何度でも「やりたい」と言われます。どうしてそんなに好きなのか、飽きないのか、不思議なくらいだったのですが、子どもたちの感想から、ある理由が見えてきました。それは「『本当に』助け合う体験ができるから」。ゾンビに襲われた者が「助け」を呼ぶと、『本当に』その人が「助け」に来てくれる。呼ばれた者にとっては、誰かが自分の「助け」を必要としていて、名前を呼ばれるので、『本当に』身体を動かして「助け」に行く。子どもたちの感想には、そんな「助け合い」をリアルに体験できる喜び、嬉しさ、達成感が書かれていました。ここでは誰もがヒーロー（ヒロイン）に成れるのです。日常生活の中でも「困ったら助け合いなさい」とは言われているでしょうが、実際に「助け」を呼ぶこと、「助け」に行くことは、限られた場面での限られた一部の子どもたちだけの体験なのではないでしょうか？「ゾンビゲーム」では、だれもが体験します。助け合う者同士が普段仲が良いかどうかなんて考えている場合ではありません。進行役扮する「ゾンビ」に本気で立ち向かう経験が、子どもたちをワクワクさせ、そして一つの「チーム」にしていきます。

【失敗談】「ゾンビやりた〜い！」という子に、ゾンビ役をやってもらったことがあるのですが、そのゾンビがものすごくスピーディに動くので、そこからはにぎやかな「鬼ごっこ」のような遊びになっていきました。それはそれで楽しいのですが、私が「ゾンビ」という悪役になって、子どもたちが立ち向かうという図式がなくなると、このプログラムの良さは半減してしまうようです。

また、円陣を保てない状況の集団（「自分の順番が回ってくるまで待てない」「他の人のチャレンジを見守ることが、まだできない」幼い子どもたち）で、ゾンビゲームを実施しても、全員で「ゾンビ」に立ち向かうエネルギーは生まれず、ただ円陣が崩れて大騒ぎになるだけでした。そんな集団で実施するには「サポートスタッフに入ってもらって円陣を保つ」「椅子に坐って行うことで円陣をキープする」などの工夫が必要です。

「ゾンビゲーム」では「怖くて泣いてしまう」子が出るのは、失敗ではないと思っています。怖いからこそ、本気になるので。怖くて離脱してしまうことを認め、その子のサポートをする態勢を整えて実施したいプログラムです。

【元ネタ】「ゾンビゲーム」（ケネス・テイラーさんのドラマワークで経験）（注4）

【年齢・経験に応じたアレンジ】

「助けを呼べる相手」を変更する

「隣」ではなく「隣の隣」の人しか呼べないルールにします。「助け合った二人は坐っていく」というルールと組み合わせれば、呼べる相手は刻々と変化していきます。

「助けを呼べる相手」を「隣の隣よりも遠方」とし、呼ばれた人は助けに来るのではなく、呼んだ人の名前を呼ぶようにする

ゾンビが近づいてきたら、助けを呼びます。呼ばれた人は助けに来るのではなく、呼んだ人の名前を呼ぶようにします。ゾンビが来る前に、自分の名前を呼んでもらえたらセーフです。

「アイコンタクトヴァージョン」

ゾンビが近づいてきたら、他のメンバーに、言葉を使わず、アイコンタクトで助けを求めます。アイコンタクトを受け取った人がゾンビが来る前に自分の名前を呼んでくれたらセーフです。

オススメプログラム その8「ワンワードストーリー＋スライド」

場づくりのポイント **創** 一緒に「つくる」〜協働・創造

【ルール】円陣で（観てくれる人がいる場合は、横一列に並んで）実施します。〜ひとり「一言」ずつ、言葉を繋いで、即興の物語をつくっていきます。お話が「。」（句点）で区切れたら、次の順番の人たちが、そこまでの「一文」を静止画（または短い即興劇）で表します。（何人が静止画に加わるかは、そこまでのお話次第で、判断します）

【実際の現場での進行例】

小学校高学年で、即興の言葉遊びや、身体表現をある程度経験した状態を想定しています。

「まず、『ワンワード』とは、どういうものなのか、実際にやってみましょう。『桃太郎』のお話をひとりひと言ずつ、順番に話していってみてください。……」

（「昔々」「あるところに」「おじいさんと」「おばあさんが」「いました」「おじいさんは山へ……あっ、ふた言言っちゃいました……おじいさんは」）

「（ワンワード（ひと言）より長く言ってしまった人がいたら、話を止めて）もしふた言、三言言ってしまっても、それはそれでＯＫ。戻さなくていいですよ。ただ次からは、なるべくひと言で止めて、次の人に任せるようにしてみてください。ひとりのアイデアでお話を進めるのではなく、少しずつアイデアを重ねていきましょう。」

（もう少し話を進める……「山へ」「柴刈りに」「行きました」）

「それではここから、「スライド」を作ります。お話が「。《マル》」で区切れたら、次の順番の人が、そこまでの「一文」を身体で表してみてください。今だったら「おじいさんは、山へ柴刈りに行きました。《マル》」で区切れたので、次の順番の人が「おじいさん役」で前に出て「柴刈り」をしている様子を身体で表してみてください。（静止画でＯＫ、動きたくなったら動いてもいいですよ）

では、次の順番の人、お話を先に進めましょう。……」

（「おばあさんは」「川へ」「洗濯に」「行きました」（マル）……おばあさん役が登場して洗濯のポーズ……「そこへ」「川上から」「大きな」「桃が」「ドンブラコ、ドンブラコと」「流れてきました」（マル））

「……ここでの次の順番の人は、桃になって登場してもいいし、桃を見て驚いているおばあさんでもいいですよ。

桃が登場したならば、その次の人は、おばあさんになってもいいし、「スライド」は桃だけで終わらせて、話を先に進めてもいいです。桃→おばあさん→その次の順番の人がさらに「川」をやりたかったら「スライド」に三人目が登場するのもありです。次の人が話を先に進め始めたら、「スライド」に登場した人たちは、元の自分の場所に戻ってください。……」

（というように、『桃太郎』の話で『ワンワードストーリー＋スライド』を体験していきます。桃太郎を全編やると長いので、鬼が島に着いた辺りまでで止めることが多いです。次は、その日限りのお話を創っていきます）

「……では、今度はみんなで今日限りのオリジナルストーリーを創っていきましょう。主人公の名前は何がいいですか？……どんなジャンルのお話にしますか？　昔話？　冒険物語？　怖い話？」

（主人公の名と、お話のジャンルを決めてスタートします）

【所要時間】『桃太郎』体験10分／オリジナル10～15分

【このプログラムのオススメポイント】

①　自分たちが即興で作ったものがその場で立体的に表現される（視覚化される）。互いのアイデアを否定せずに受け入れ合い、活かし合うことで、ひとりでは創れない表現が生まれ、協働作業を楽しめるようになる。〈子どもたち〉

②　アイデアを伝え合いながら、ひとつの物語を創ることで、自然と、互いを尊重し合うチームが生まれてくる〈場全体〉

③　楽しみながら、「協働」する場を創ることができる。〈進行役〉

【現場でのエピソード／実施の意図】

数年前に出会った、ある6年生の男の子のエピソード……彼は、普段から、とても賑やかで、おしゃべりが大好きな少年でした。周りのことを笑わせるのが大好きでした。そんな彼がインプロに出会い「どんなアイデアもＯＫ」な時間だとわかったので、即興の時間も、思いついたアイデアを次々に表現して楽しんでいました。ただ、彼のアイデアは、いつも単発で、ひとりだけで突っ走ることが多かったのです。「ワンワード」のようなプログラムでも、周りの人の言葉は聴かずに「次、何を言おうか」を考えていました。前の人のアイデアとは無関係の、自分だけの発想を口に出していました。そんな彼が、6年生後半、びっくりするくらいに周りのアイデアに耳を傾けるようになったのです。いつからその変化が起きたのか、具体的な時期やきっかけは、私は気づかず、本人に訊いても判らなかったのですが、彼自身は「自分だけで頑張っておもしろい話を創るより、周りのアイデアに乗っかっていく方が、もっとおもしろいものができる」と気づいたらしいのです。「協働」する楽しさを手に入れた彼は、それから卒業まで大活躍を続けました。

インプロの経験が積み重なって、ひとりひとりの表現の幅が広がってきたら、ぜひ作品作り（誰かに観てもらい、聴いてもらう即興表現）に取り組んでみてください。その「協働」の過程では、個人個人の「何でもあり」の表現同士がぶつかって、せめぎ合いますので、なかなか上手くはいきませんが、その経験が、互いのアイデア、互いの表現、ひいては互いの「存在」そのものを尊重し合える人間関係づくりに繋がっていきます。

【失敗談】 即興の物語作りを、全員で実施するのではなく、小グループに分かれて、同時進行で実施した時に、あちこちで問題が噴き出て、収拾がつかなくなってしまったことがあります。問題の一つは、「誰かのアイデアを、次の人が受け入れず、なかったことにしてしまう」ケース。（例えば「〇〇でした」→「と思ったけど違いました」）これが頻発すると、話は前に進まないし、何よりそのグループは楽しくなくなっていきます。もう一つは「どんなことを言えばいいのか、悩んだり迷ったりして、お話作りがすぐにストップしてしまう」ケースでした。その時は、グループワークをストップして「生まれたアイデアを（安易に）なかったことにするのは、やめようね」「いつもナイスアイデアである必要はないんだよ。思いつかなかったら、前の人の言葉の繰り返しでもいいし、接続詞だけでもOK」そんな話を、改めて全体にしなければならなくなりました。グループに分けるのが、少し早すぎたということです。「ワンワード」自体が、とても難しい部類のインプロです。それからは、グループワークとして実施するまでに、「ワンワード」実施時の様々な困り事、もめ事を全員で体験し、解決の仕方や、やり過ごし方（解決しないで、流せるものは流すやり方）を経験しておくようにしています。

【元ネタ】「ワンワード」（即興カニ・クラブで経験）（注2）に「スライド（静止画）」を加えて、インプロinカフェコモンズで実施（注10）

【年齢・経験に応じたアレンジ】

「ワンワードで語る人と、スライド（身体表現）をする人を分ける」

やり方・その１「語る専門の人と、身体表現専門の人に分ける」

やり方・その２「二チームに分かれ、それぞれがワンワードで作ったオリジナルストーリーを、改めて相手チームに披露し、相手チームは、それをその場で身体表現で表す」

キーワード・その⑤「褒めて育てる?」↓「即興表現を(みんなの前では)褒めない」

インプロの時間、子どもたちからは、次々と素敵な即興表現が生まれてきます。その瞬間、私自身も、思わず「わー」「すごい」と声が出てしまうことが、しょっちゅうあります。でもその後、全員の前で先ほどの「素敵な表現」を取り上げて「褒める」ことはしないようにしています。それを進行役の私がやってしまうと、他の参加者に「先ほどの、あの表現のようなものを生み出しなさい」「ああいうふうに上手にやりなさい」というメッセージがかなり強く伝わってしまうからです。「褒める」ことは「ダメ出し」することと表裏一体です。「正解」が決まっていないインプロに「褒めて育てる」はそぐわない、インプロは「成果主義」とは無縁の「場」だと皆に伝えたいのです。もちろん素敵な表現が生まれた瞬間や、勇気を持って一歩踏み出すチャレンジをした瞬間、あるいは誰かのチャレンジをサポートする姿勢が見えた瞬間などは、それを「見ていたよ、気づいたよ」と伝える声掛けをすることはとても大事なので、そういう場合には、その子どもたちだけに、そっと声掛けするようにしています。

▼「即興表現を(みんなの前では)褒めない」

子どもたちの成長を願うあまりに「結果を出せ!」と励ますことが、時に子どもたちを追い詰めていきます。結果を出したくても出せない子の「つらさ」や、「結果を出せる」が故に出し続けなければならない子の「しんどさ」に、思いを馳せることができなくなったら、そこはもう「誰もがここにいていい」と思える場ではなくなっていきます。即興表現を上達させることが目的ではありません。成果を褒めるのではなく、その日のひとりひとりのチャレンジを認めていきたい。ひとりひとりが、それぞれのアイデアを伝え合いながら、チームで即興表現を生み出していくことで、自然と、互いに尊重し合う人間関係が形成されていきます。インプロは豊かな「人権感覚」を育む「場」です。

郵便はがき

恐れ入りますが
切手を貼って
お出しください。

101-0064

東京都千代田区猿楽町2-1-16-1F

晩成書房

編集部 行

あなたのことを教えてください！

おところ

〒 -

☎ （ ）

ふりがな	男・女
お名前	歳

お仕事は…

勤務先・学校名・クラブ・サークル名などを

ご購入ありがとうございました!
図書名をお知らせください。➡

こんにちは!

お元気ですか？ ちょっと唐突ですが，この世の中 やっぱり 一人ひとりが もっと自分らしく，個性豊かに，元気に生きたいですね。もっとお互いに ことばと からだで表現し，コミュニケーションし合って，しなやかな人間関係ができればステキですね。…私たち晩成書房では，そんなことを考えながら，子どもたちの全面的な発達を願う演劇教育の本を中心に，シュタイナー教育，障害児教育などの教育書，さらに演劇書，一般書の出版を続けています。また，あなたと，さらに良い出会いを持ちたいと思います。本書についてのご意見・ご感想，あるいは 本書に限らず，あなたご自身のお考え，活動のこと，必要を感じられている図書などを お聞かせいただければ幸いです。

・本書は何で 知られたのですか？

あなたからのこのおたより，晩成書房の読者のページ「おのまとペ」で紹介させて頂くことがあります。

月刊「演劇と教育」巻末です）ペンネームなどご希望の方は，その旨お書きください。

まだまだたくさんあります～「オススメ」プログラムいろいろ～

ここからは、「オススメ」プログラムのルールと、オススメポイント等を、短めに、紹介していきます。

場づくりのポイント（1）今……子どもたちの「今」を感じ取り、向き合う

オススメプログラム その9「ラクガキで出会う」

場づくりのポイント　今　子どもたちの「今」を感じ取り、向き合う

【ルール】Ｂ４程度の大きさの紙に、「今日の気分」をラクガキで表していきます。絵・色・線などで表し、文字（意味のある言葉）は使わないようにします→その紙を見せ合いながら、会場内をしゃべらずに歩き回り、全員のラクガキと出会います。（この段階では会話はしないでおきます。挨拶程度はしてもＯＫ）→二人組になって、ラクガキで表した「今日の気分」を紹介し合います→円陣になって、全体に自分のパートナーの「今日の気分」を（短く）紹介していきます。

【所要時間】ラクガキ３分→歩き回る３分→小グループで話す４分

【オススメポイント／留意点】

プログラムの最初に実施することが多いです。何を描いてもいい「ラクガキ」から始めることで、参加者の気持ちがほぐれていきます。以前は「ラクガキアイスブレイク」と呼んでいましたが、「アイスブレイク」という言葉がしっくり来なくなったので、（32ページ「アイスは無理にブレイクしない」参照）「ラクガキで出会う」というプログラム名

に改めました。

【年齢・経験に応じたアレンジ】

「漢字一文字で出会う」

ラクガキの代わりに、漢字一文字で「今日の気分」を表す。

「オノマトペで出会う」

ラクガキの代わりに、「今日の気分」をオノマトペ（擬音語・擬態語）で表す。

場づくりのポイント（2）全……全員の存在を大切にする〜成果主義との訣別

オススメプログラム その10「ノンバーバルサークル」

場づくりのポイント 全 全員の存在を大切にする〜成果主義との訣別

【ルール】全員で、一言も喋らず、誰の身体にも触れずに、なるべく早く、きれいな円陣をつくっていきます。

【所要時間】2〜3分

【オススメポイント／留意点】

プログラムの前半にこの「円陣作り」を実施することが多いです。その場に居る全員が、「全体」を意識して、しかも自分の意志、自分の判断で動く時間をつくることで、その集団のその時点でのチームワークを垣間見ることができます。言葉を封印すると、ひとりひとりの「いつもとは違う面」も見えてきて、興味深いです。

【年齢・経験に応じたアレンジ】

「名前の五十音順」「誕生日順」「男女交互」「ニンジャ歩き（スローモーション）で移動」「何か自分ではないキャラクターに成り切って移動」などのルールを追加して実施することができます。

オススメプログラム その11「ネームコール」

場づくりのポイント **全** 全員の存在を大切にする～成果主義との訣別

【ルール】円陣で実施します。進行役が参加者全員の「呼ばれたい名前」（事前に名札を作成して胸につけておくようにする）をひとりひとり呼んでいきます。参加者は、その呼び方（読み方）でOKならば、OKを示す何らかのサインを出し、呼び方（読み方）が違っていたら訂正します（または×サインを出します）。進行役はOKサインをもらえるまで、呼び方（読み方）を工夫し、繰り返しトライしていきます。「呼ばれたい名前」は、普段のあだ名（ニックネーム）でも、本名でも、この日限りの偽名・芸名でも、何でもOKです。

【所要時間】1クラス8～10分

「ネームコール」

【オススメポイント／留意点】

34ページの「好きなものなあに」と同様に、進行役が「参加者全員の声を聴き、参加者全員と一対一で向き合う時間を創ることができる」プログラムです。外部講師として継続的にインプロ授業を実施しているクラスでは、ほぼ毎回、この時間を持つようにしていて、子どもたちも、慣れてくると、「呼ばれたい名前」を考え、その名前で呼ばれることを楽しみにしてくれるようになります。

【元ネタ】「ムーブメントパス」（ヒュー・ナンキヴェルさん～イギリスの作曲家～のワークショップで経験）

【年齢・経験に応じたアレンジ】

「ネームコールのあとで、その名前を使ったプログラムを実施」

「ネームコール」→「ゾンビゲーム」（67ページ）という流れがオススメです。

「子どもたちが自分で自分を呼ぶネームコール」

円陣で、子どもたちがひとりひとり、自分の「呼ばれたい名前」を「呼び方」で呼び、その「呼び方」を真似て、全員で（進行役も、参加者も）、その名前を呼んでいきます。（言い方や、ポーズ・動きも真似していきます）

【失敗談】以前、子どもたちとの初対面の場でこの「自分で呼ぶ」ルールで「ネームコール」を実施したところ、何人もの子どもたちが泣き出してしまったことがありました。「自分で決めた『呼ばれたい名前』をクラスみんなの前で、自分で声を出して、呼び方も自分で決めて呼ぶ」ということは、多くの子どもたちにとって、とてもハードルが高いことだったようです。その子たちは「練習したこと」「正しいと確信を持てること」しか声に出さない日常なのかもしれません。失敗を怖がらず、声を出していってほしいですが、導入時に行う「ネームコール」は声を出すことよりも、まず私自身が「一

「ネームコール」

人一人の子どもたちと出会う・向き合う」ことを大事にしたいプログラムなので、今は、私が「名札に書いてくれたその日の名前を一人一人呼ぶ」ようにしています。「呼ばれたくない」子は、名札を作らなかったり、せっかく作った名札を隠したりするんですが、それも、その子の選択したことなので、「名前、ナイショなんだね」と念を押すだけで、それ以上は訊かないようにしています。

場づくりのポイント③　多　……どんな表現もＯＫ〜多様性を認め合う

オススメプログラム　その12　「これなあに？」

場づくりのポイント　多　どんな表現もＯＫ〜多様性を認め合う

【ルール】進行役が何かの形になり、みんなでそれが何に見えるかを考えていきます。例えば、全身を使って「弓なりの形」になります。それが何に見えてもＯＫ。出た意見を、黒板等にすべて書き出していきます。

【所要時間】５分

【オススメポイント／留意点】

「弓なりの形」を見せると、最初、子どもたちは「これは何なんだろう？」と「正解」を探し始めてしまうことが多いです。そうならないように「これは何に見える？　答えをいっぱい考えて！」と問いかけて、「どんな答えもＯＫ」の時間であることを意識づけていくようにしています。「バナナ」「イルカ」「月」など、「弓なりの形のもの」から始まって、イマジネーションがどこまでも広がっていく集団もあれば、明らかな「弓なりの形のもの」しか言ってはいけないという「ストップ」がかかってしまう集団もあります。「弓なりの形」とは無関係のアイデアが出てくると、「いや、さすがにそれは違う」と否定したくなります。でも、それも「ＯＫ」と受け止めていくと、子どもたちのワクワクが増し、表現の幅が広がっていきます。『見え方は人それぞれ違うことに気づいていける』『どんなアイデアも否定せずに受け止め合える場をつくっていける』シンプルで楽しいプログラムです。「弓なりの形になる人」「それが何に見えるのか、子どもたちに訊く人」「出た意見を板書する人」というようにスタッフが三人いるとスムーズに実施できます。

【年齢・経験に応じたアレンジ】

「あれなあに？」

進行役が何かを指差して驚くポーズをして見せます。この人はいったい何を見ているのか、何で驚いているのか、「これなあに？」同様に、様々な可能性を考えていきます。考えた人が、その驚かせているものになって実際に登場するのも楽しいですし、さらに「驚かせた人」「驚いた人」が動いたり、しゃべったりしていくと、短い「即興劇」へと繋がっていきます。

オススメプログラム その13 「変身ごっこ～ナイフとフォーク～フィジカルシアター」

場づくりのポイント 多 どんな表現もＯＫ～多様性を認め合う

【ルール】

「一人で変身（『変身ごっこ』）」……進行役がその場で出題した「タイトル」（例えば「バナナ」）の形を体で表します。（掛け声『バナナになあれ！ ３・２・１・変身！』）どんなバナナでもＯＫであることを確認したら、様々な「バナナ」に変身していきます（「腐ったバナナ」「今が食べ頃のおいしそうなバナナ」「誰が見てもバナナに見えないヘンな形のバナナ」）↓最後にもう一度「自分が成りたいバナナ」になる。

【所要時間】３～５分

「二人組で変身（『ナイフとフォーク』）」……二人で相談せずに（声を出さずに）、三～五カウントの間に、身体を動かして、出題されたタイトルの形（もの）になります。（例）「ナイフとフォーク」…二人は、互いの動きをよく見ながら（相手のアイデアを察し合いながら）ナイフとフォーク一本ずつになるように身体を動かします。ストップモーションで、互いに「ナイフとフォーク」になっているかどうか確認するのですが、ナイフ二本orフォーク二本でもOK。同じものになった時の「譲らない」意志も「譲る」という結論も、喋らず、身体を使って表現し合います。ルールを理解できたら、他のいろいろなタイトルにチャレンジしていきます。《他のタイトル例》「バナナとイチゴ」「鉛筆と消しゴム」「兎とライオン」「美しい花一輪と花瓶」

【所要時間】５分

「ナイフとフォーク」

「みんなで変身（『フィジカルシアター』）」……「場所」を設定し、身体を使って、様々なものの形を表現していきます。（場所の例＝遊園地・動物園・水族館・おもちゃ屋さん・ケーキ屋さん・コンビニ・駅・特定の物語の世界、等）↓全体を半分に分け、相手がどこの「場所」を表現しているのかを当て合ったり、子どもたちが表現した「場

所」を、大人が当てたりしていきます。

【所要時間】5～10分

【オススメポイント／留意点】

何かの形を「正しく」表現しようとするのではなく、出されたお題に、どんな形（アイデア）でもいいから即興で対応していくことを繰り返すプログラムです。お題を工夫することで様々な表現にチャレンジすることができます。

子どもたちに『変身』の仕方に『上手・下手』はなく、自分の思うように『変身』していいんだ」ということを伝えるのは一苦労です。どんな「変身」をするのが「正しい」のか、「正解」を探す習慣が身についてしまっている場合が多いのです。誰もが気軽に身体表現を楽しめるように、「モノマネ」（上手にその形を真似る）ではなく、あくまで「変身」（どんな形でもOK）なんだということを、繰り返し伝えるようにしています。

「フィジカルシアター」

【元ネタ】「ナイフとフォーク」（「即興カニ・クラブ」のワークショップで経験）（注2）

【年齢・経験に応じたアレンジ】

「わたしだあれ？」（低学年向き）

進行役が「わたしはだあれ？」と参加者に尋ねます→訊かれた人が何か「もの」の名前（〇〇）を言ったら、全員で掛け声を掛けます。「〇〇になあれ、３・２・１変身！」→進行役が、その「もの」に変身します→全員で声を合わせて、「もの」（〇〇）に成り切っている進行役に尋ねます。「〇〇さん、〇〇さん、わたしは、だあれ？」→進行役が答えた「もの」に全員で変身→繰り返しです。

「写真の人」（「ナイフとフォーク」人間ヴァージョン）

写真に写っている「人」に変身します。「職業」「感情」「状況」等を設定して実施します。《タイトル例》「掃除してない掃除当番」「一生懸命掃除する掃除当番」「ほめる先生と照れる子ども」「おまわりさんと道を訊く人」「大スターとファン」「怒っている人と謝っている人」等

「写真の人・人数を増やしていく」

四人組→八人組→……→クラス半分→クラス全員と、人数を増やして「写真のタイトル」を決めて実施します。

「漫画の人」

「写真の人」に変身後、静止したまま、即興で台詞を言ってみます。（漫画の「吹き出し」のイメージ）

「名作写真」

物語の中の登場人物に変身します。

《タイトル例》「桃太郎と家来たち」「三匹の子豚と狼」「浦島太郎、竜宮城到着」等）

「サポート彫刻」

タイトルは一人分。もう一人はその主役をサポートする形になります。

《タイトル例》「私、怒ってます」「寂しいなあ」「勝ったよ‼」

オススメプログラム その14 「ワンタッチサンキュー」～「ワンタッチ彫刻」

場づくりのポイント **多** どんな表現もＯＫ～多様性を認め合う

【ルール】

「ワンタッチサンキュー」……二人組で実施します。Ａさんが、何かポーズを決めて静止します→Ｂさんが、Ａさんのどこかにワンタッチしながら、何かのポーズをとります→Ａさんは、もし「痛い・くすぐったい・恥ずかしい・許せない」等、何らかの理由で、触れてほしくないところに触れられたら、断ってＯＫです（Ｂさんは、断られたらタッチする場所を変更します）が、触れられてもＯＫの場所だったら、「サンキュー」と言ってＢさんから離れます。Ｂさんは、Ａさんがいなくなっても、その時のポーズをそのまま維持します→今度はＡさんが、Ｂさんのどこかにワンタッチ……これを繰り返します。

「ワンタッチサンキュー」

【所要時間】 5分

「ワンタッチ彫刻」……三～五人組程度の人数で実施します。まず一人が、何かのポーズをとり、そこに一人ずつ、誰かにワンタッチしながら、ポーズを取って加わっていきます→グループみんなが加わったら、でき上がった形を彫刻に見立てて、見ている人（進行役）がタイトルをつけます→形を崩し、最初にポーズを取る人を交代して、二つ目の彫刻を作っていきます。前述の「ワンタッチサンキュー」同様、タッチされたくないところに触れられたら、断ってＯＫ。断られたら、タッチする場所を変更します。

【所要時間】５～15分

【オススメポイント／留意点】

何の意味もないポーズでも、二人（以上）が触れ合って繋がることで、様々な「もの」に見えてきます。ひとりで頑張らなくても大丈夫、すごいアイデアがなくても大丈夫、ということを実感できます。（小学校３～４年生に向いているプログラムです）最初は「タッチ」するルールに戸惑っている子どもたちも、やがて、いろいろなタイトルの「身体彫刻」ができ上がることに夢中になっていきます。「表現したい」エネルギーに満ち溢れる瞬間です。あちこちのグループが、次々と「できた～！」と私を呼ぶので、部屋じゅうとび回って、タイトルをつけて回っています。

【元ネタ】「ワンタッチサンキュー」（武田富美子さんのワークショップで経験）（注９）

「ワンタッチ彫刻」

【年齢・経験に応じたアレンジ】

「ワンタッチサンキュー・台詞つき」

タッチする（される）瞬間に思いついた台詞を、ひと言ずつやりとりします。Ａさんがポーズ↓Ｂさんがワンタッチしながら台詞を言う↓Ａさんがそれを受けてひと言台詞を言って抜ける↓Ｂさんはポーズを維持……の繰り返しです。

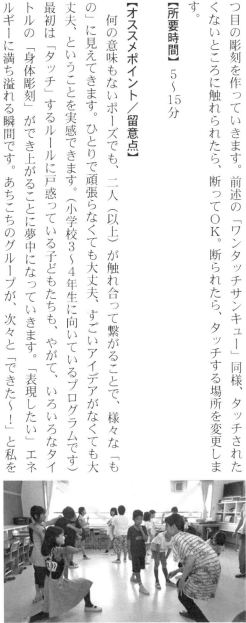

「ワンタッチオブジェ」

「ワンタッチ彫刻」を参加者全員で行うことができます。**（オススメプログラム・その29を参照）**

オススメプログラム その15 「サンキューゲーム」

場づくりのポイント **多** どんな表現もＯＫ～多様性を認め合う

【ルール】「ワンタッチサンキュー」から「ワンタッチルール」をなくしたものです。Ａさんが、何かポーズを決めて静止→Ｂさんは、Ａさんの視界に入って、何かのポーズ（Ａさんの真似でもＯＫ）→Ａさんは「サンキュー」と言って抜け、Ｂさんはポーズを維持→Ａさんが、Ｂさんの視界に入ってポーズ→Ｂさん「サンキュー」→この繰り返しです。

【所要時間】５～10分

バリエーション①（台詞追加）……Ａさんが「サンキュー」の前に、ひと言何か台詞を言ってから抜けます→慣れてきたら今度はＢさんも台詞を言いながらポーズをとるようにします。

バリエーション②（タイトル追加）……三人組で実施します。二人がポーズを取ったら、もうひとりが、そのポーズを彫刻（絵画・写真）に見立ててタイトルをつけ、そのタイトルを聞いてから「台詞」→「台詞＋サンキュー」

【オススメポイント／留意点】

「ワンタッチ」ルールがある方が、やりやすく感じる子どもたちもいるし、反対に「ワンタッチ」しないほうが、やりやすい場合もあります。接触に抵抗があるなら、この「サンキューゲーム」の方が取り組みやすいでしょう。タッチするという制限がないので、空間を広く使える利点もあります。

【元ネタ】「サンキュー」（即興カニ・クラブのワークショップで経験）（注２）

【年齢・経験に応じたアレンジ】

「サンキューから創る短い即興劇」

Ａさんのポーズを、Ｂさんが（独断で）何かに見立てて話しかけ、Ａさんもその設定を受け入れて、会話（シーン作り）を始めます。やがてＡさんが、理由を見つけて、そのシーンから抜け、残されたＢさんは静止（ポーズ）↓そこへまた次のプレイヤーが、そのポーズを何かに見立てて話しかけ……

オススメプログラム その16「アイアムゲーム」

場づくりのポイント　多　どんな表現もＯＫ～多様性を認め合う

【ルール】三人組で実施します。一人が「私は○○です」（例えば「私は木です」）と言いながら、○○（例えば「木」）のポーズで静止↓二人目、三人目が、木とともにその場にありそうな「何か」になって加わります（例えば二人目「私は木の実です」↓三人目「私は鳥です」）↓これで一つ目の静止画が完成です↓一人目に登場したプレイヤー（「木」になっている人）が、「木の実」か「鳥」のどちらを次に残すかを決め「◇◇を残します」（例えば「鳥を残します」）と言ったらあとの二人（「木」と「木の実」）はそこから居なくなります↓残った人が再度「私は鳥です」↓ここから二つ目の静止画作りです↓二人目、三人目が、「鳥」とともにそのシーンにいそうな「何か」になって加わり……この繰り返しです。

①わたしは木です。
②わたしは木にとまる 小鳥です。

「アイアイゲーム」

【所要時間】 10分

【オススメポイント／留意点】

「変身ごっこ」や「ナイフとフォーク」では、何に変身するのか、進行役がお題を提示していました。「ワンタッチサンキュー」や「ワンタッチ彫刻」では、どんな形になるのか、具体的なアイデアは不要でした。この「アイアムゲーム」では、表現する本人が「私は〇〇です」と名乗ることになります。何になれば良いのか、何になるべきなのか、悩んでしまう場合があるので、そのハードルを下げるために、何になってもＯＫ、「正解・不正解」はなく、前の人と「同じもの」でもいいし、その場にはとてもありそうもない「奇抜なもの」でもいい、ということを、デモンストレーションの時点で伝えるようにしています。

【失敗談】 小学校6年生の授業で「何になろうか困ったら、前の人と同じものでもいいよ」と言って「アイアムゲーム」を始めたら、スタートから木が八本、続いたことがあります。「私は木です。」「私は木です。」「私は木です。」……お行儀のよい、おとなしいクラスでした。その「行儀の良さ」は、「どんな表現をしてもＯＫ」というエネルギーとは、相容れないものでした。あの時「6年生だから」と、「アイアムゲーム」をいきなり実施した私の判断が甘かったのです。その前に、いろんな自己選択の経験や、多様な表現が生まれる楽しさを感じる経験を積む必要があったのでしょう。一方で、小学生に幼稚園児（年中・年長）が交じっている場で「アイアムゲーム」を実施したら、小さい子の方が、余計な自己検閲なく、のびのびとなりたいものになって登場していたこともあります。「三人のうち二人が抜ける」という基本ルールを理解するのには時間がかかりましたが、理解してからは、むしろ場をリードしていました。

【元ネタ】「アイアム・ア・ツリー（私は木です）」（七味唐辛子のいりこさんのワークショップで経験）（注11）

【年齢・経験に応じたアレンジ】

「妄想トリップ」

三人がそれぞれの「今、行ってみたいところ」を互いに打ち明け（「妄想」なのでどんなあり得ない場所でもＯＫ）、その場所に仮想トリップして、そこに居る前提で「アイアムゲーム」を楽しみます。

「妄想サポート」

主役をひとり決めます。まずその主役が「私は○○です」と、自分のなりたいものになって（妄想）登場します。あとのメンバーは、脇役（主役を支えるキャラクター）として登場します↓主役交代

■「誰もがここにいていい」と思える場づくりのために……キーワードから語るこだわり……⑥……■

キーワード・その⑥「インプロは難しい？」↓「何を難しいと感じているのかを見極める」

「インプロって難しい」という感想を、よく聞きます。ふり返りでこの「難しい」が出てきたときに、詳しく話を訊くと、「難しい理由」は人それぞれです。何を難しいと感じているのか、見極めることが大切になってきます。「即興ですぐには思いつくことができない」から難しい……「どういう表現をしたらいいのかわからなくて」難しい……これは、どちらの場合も存在しない「正解」を探してしまっている可能性があります。「素早く答えること」が正解と思い込んでしまったり、最もふさわしい表現は何なのか、正解を探してしまったりしている場合がよくありますが、これまでずっとペーパーテスト等で「難しい問題の答えに、時間以内に素早くたどりつく」努力をしてきた時間と、今、チャレンジしているインプロの時間は、まったく異なるものであることに気づくと、この「難しい」というハードルは徐々に消えていきます。

▼「何を難しいと感じているのかを見極める」

「正解がないこと」はわかっているけれど、「どんな表現をしてもOKの中で、無限の選択肢の中から、どの表現を自己選択するのか」が難しいと感じている場合もあります。その場合には、「それは本当に難しいですよね」と、難しさを感じて当然であることを伝え、「でもそこがインプロでのチャレンジのしどころだし、おもしろいところです。失敗を怖れず、自己選択していきましょう」と声をかけるようにしています。

オススメプログラム その17「シェアードストーリー」（別名「みんめちゃ」）

場づくりのポイント **多** どんな表現もＯＫ～多様性を認め合う

【ルール】 ひとりずつ順番に話を語り継いで、即興の物語を紡いでいきます。物語の「タイトル」「ジャンル」「主人公の名前」「主人公の最初の場面の感情」「最初の一文」等の中から、いくつかを選んで決めて、そこからお話づくりをスタートしていきます。

【所要時間】 ５分

【オススメポイント／留意点】

参加者が、お互いのどんな表現も受け止め合えるようになってきたら、お話づくりがおススメです。最初は「ワンワード」（**オススメプログラム・その８参照**）から始めて、徐々に「表現の長さ」制限をなくしていきます。ただ、ひとりが長々と語って、お話の方向性を決め過ぎないように「ひとり一文ずつくらい」という目安は示した方がよいと思います。時間も、四～五分程度で終了します。お話の途中だったら「つづく」でＯＫ。完成度は問いません。それよりも「互いのアイデアをつぶさずに活かし合うことができたかどうか」ふり返るようにしています。

【元ネタ】「シェアードストーリー」（即興カニ・クラブのワークショップで経験）（注2）

白井市立池の上小学校（注3）の授業現場では、完成度は問わないというメッセージをこめて、「みんなでめちゃくちゃ物語（略称・みんめちゃ）」と呼んでいます。

【年齢・経験に応じたアレンジ】

「シェアードストーリー＋ポスター」

作ったお話が「映画化」されると想定して、グループで相談して、映画の「題名」「キャッチコピー」「静止画（映画ポスター）」を創っていきます。静止画（ポスター）の登場人物が、ひと言ずつ台詞を言ったり、ポスターを披露しながら映画の宣伝をしたりと、ルールを加えて楽しむことができます。

「シェアードストーリー＋スライド」

お話が「。」（句点）で区切れたら、次の順番の人たちが、そこまでの「一文」を静止画（または短い即興劇）で表します。（何人が静止画に加わるかは、そこまでのお話次第で、判断します）

「ティピカルストーリー」

ストーリー作りのフォーマットを活用して、話を作っていきます。

《フォーマットの例》絹川友梨著『インプロゲーム』（晩成書房）より

１　むかしむかしあるところに　／２　毎日毎日／３　ところが（そして）ある日／４　なぜなら（そのおかげで）／５　そして（そのおかげで）／６　そして（そのおかげで）／７　そして最後に　／８　その日以来

「シェアードストーリー＋マイム」

作ったお話に『タイトル』をつけ、マイムで（喋らずに）演じます。観客は、ストーリーを勝手に予想しながら観るようにします。

「グループで作ったお話を披露し、他のグループの人が即興で演じる」

初めて聞いた話（他のグループが作った話）を、その場で、場面ごとに区切りながら、「静止画＋台詞」や「短い即興劇」で表現していきます。

場づくりのポイント（4）失OK……失敗だらけのチャレンジを支え合う～失敗も楽しむ

オススメプログラム その18「名前手裏剣」

場づくりのポイント 失OK 失敗だらけのチャレンジを支え合う～失敗も楽しむ

【ルール】五・六人組を複数作って、スタートします。各グループが、円陣で、手裏剣を放つ仕草と共に、相手の「呼ばれたい名前」を呼びます。もし呼び間違えたり、言い淀んだりしたら（つまり呼ぶのに「失敗」したら）、他のグループへ移動する権利を得るルールです。その際は、残るメンバーが拍手と歓声で送り出します。「間違えたほうが、いろんなグループで交流できる」プログラムです。

【所要時間】５～10分

※ルール追加……自分を呼んでくれた人に、直接返してはいけない。

※バリエーション（少人数ヴァージョン）……少人数で、ひとつの円陣で実施する時は、呼び間違えたり、つっかえたりしたら、喜んで小躍りしながら、円陣の周りを一周する。（または「次に誰かが間違えるまで坐って休む権利」を得る）

【オススメポイント／留意点】

「失敗すると、拍手と歓声をもらって移動する」という、ある意味、とても不自然なプログラムですが、本気で実施していくと、場にエネルギーが生まれます。互いの名前を覚えながら、いろんな人と交流し、しかも「失敗してもハッピーでいられる」場ができ上がっていきます。

【元ネタ】「名前手裏剣」（樋栄ひかるさん～現・京都造形芸術大学附属高等学校 校長～のワークショップで経験）

【年齢・経験に応じたアレンジ】

「改名ヴァージョン」

間違えた人は「名前を変更する（偽名を名乗る）権利」を得ます。新たな名前を名乗って（新しい名札を作って）、どこかのグループに復帰していきます。

オススメプログラム その19 「1・2・3バトル」

場づくりのポイント　失OK　失敗だらけのチャレンジを支え合う～失敗も楽しむ

【ルール】二人組で実施します。二人で順番に「1」「2」「3」「1」「2」「3」……とリズム良く数を数えていきます→どんどんスピードを上げていって、言い間違いがあったら、間違えた人がルールを変更する権利を得ます。例えば、「2」という代わりに「手拍子」（あるいはジャンプ）をしたり、「3」の代わりに「足を踏み鳴らす」というように、『声』を出す代わりに『体』を動かすルールに変更して実施します。

【所要時間】５分

【オススメポイント／留意点】

「声を出すこと」と「体を動かすこと」が混在すると、慣れるまではうまくいかないことが多いので、「失敗が当たり前」になり、「失敗を楽しむ」「失敗してもハッピーでいる」場を作っていくことができます。

【元ネタ】「1・2・3バトル」（カクテルホイップ・まめっちのワークで経験）（注7）

オススメプログラム その20 「ミャンマーゲーム」

場づくりのポイント 失OK 失敗だらけのチャレンジを支え合う～失敗も楽しむ

【ルール】円陣で、ひとりずつ順番に「ミャンマー」という言葉をリズミカルに重ねていきます。一人目「ミャンマー」、二人目「ミャンマーミャンマー」、三人目「ミャンマーミャンマーミャンマー」と、言う回数を増やし、誰かが言い淀んだり言い間違えたりしたら、全員でその人に向かって「間違えても気にするな！」というメッセージを込めて、拳を上げて、明るく優しく「ミャンマー」と声を揃えて言い、間違えた人が「ミャンマー」一回からやり直します。

※バリエーション（1）……隣ではなく、円陣の中に誰にでも回してよいことにします。

※バリエーション（2）……間違えた人から、抜けて休む権利を得るようにします。

【所要時間】5分

【オススメポイント／留意点】

普段発音し慣れていない「ミャンマー」という言葉なので、「そんなの言えるよ」と思っても、自分で驚くくらい言えないので、「失敗だらけ」になって、みんなで「失敗」を楽しむができるプログラムです。実在の国名なので、単語として利用させていただくことを、その国の方にお断りする配慮が必要です。

【失敗談】普段「失敗なんかほとんどしない」と思われている方が「失敗」することで、場がとても和んだ経験があります。一方で「私は失敗したくないのに、無理やり失敗させられて、しんどかった」とおっしゃる方もいました。「失敗」をみんなで笑いとばして楽しめる「場」を作るためには、その前に参加者ひとりひとりの「失敗だらけのチャレンジ」へのリスペクトを忘れないよう、心がけています。

【元ネタ】「ミャンマーゲーム」（インプロinカフェコモンズ（注10））参加者のくりさんのワークで経験～くりさんが、吹田メイシアターの稽古場で経験したもの）

オススメプログラム その21「アジャジャオジャジャ」

場づくりのポイント　失OK　失敗だらけのチャレンジを支え合う～失敗も楽しむ

【ルール】二人組で、ひとりが椅子に坐り、もうひとりがその傍らに立つところから始めます。二人とも、とても疲れていて椅子に坐りたいけれど、椅子はひとつしかないという設定です。立っている人が「どいて」「椅子を譲って」という気持ちをこめて「アジャジャ」と呼びかけ、坐っている人は、「いやだ」という拒絶の意味を込めて「オジャジャ」と返します。「アジャジャ」「オジャジャ」のやりとりを繰り返すうちに、どこかで理由を見つけて、少しでも心が動いたら椅子を譲ります。↓役割交代（「アジャジャ」「オジャジャ」以外の言葉は使ってはいけないルールです／譲る気持ちになれなかったときは「オジャジャ」で断り続けてOK。その場合は時間を見計らって役割交代します）

【所要時間】ルール説明３分↓実施５分（１分半～２分で役割交代）

「アジャジャオジャジャ」

【オススメポイント／留意点】

身体表現と声だけで、感情を伝え合います。「言葉」に頼らなくても、伝え合えることがある、と実感できるプログラムです。「(強く) 断る」という行動は、普段封印している方が多いので、フィクションの設定の中で「思いっきり断る」ことも貴重な体験になります。エキサイトし過ぎないように「相手の身体や、坐っている椅子には触れないこと」と「互いにとても疲れているという設定であること」を確認してから始めるようにしています。

【元ネタ】「アジャジャオジャジャ」(即興カニ・クラブのワークショップで経験)(注2)

【年齢・経験に応じたアレンジ】
「ポーズで椅子取り」
「アジャジャ」「オジャジャ」も言わず、「無言」(身振り手振りと、表情だけ) で実施します。その他のルールは「アジャジャオジャジャ」に準じます。

オススメプログラム その22 「椅子取りゲーム」
場づくりのポイント 失OK 失敗だらけのチャレンジを支え合う〜失敗も楽しむ

【ルール】十人前後のグループで実施します。一人(オニ役)が部屋の外に出ている間に、オニを含めた人数分の椅子をバラバラに配置し、全員着席します。部屋に入ってきたオニ役が、一脚だけ空いている椅子に座りに行くのですが、他のメンバーが、座れないように、移動して妨害します。椅子を奪うか、奪えずギブアップしたら終了です。移動は、全員、両膝をつけたまま片足ずつ踏み出す「よちよち歩き」だけで実施し、配置する椅子と椅子の間は、人ひとり通れるだけのスペースを空けるようにします。また、妨害する側が一人で複数の椅子を守ってはいけません。

【所要時間】10分

【オススメポイント／留意点】
椅子の配置を工夫した上で、全員が連動して防御しないと、椅子はあっさりオニ役に奪われます。本気になって作戦を考え、連動を試みていくことで、その十人がひとつのチームになっていきます。

【元ネタ】「椅子取りゲーム」（「即興型学習研究会」での小口真澄さんのワークショップで経験）（注１）

【年齢・経験に応じたアレンジ】
「防御側に困難なルールを追加して実施」
（例）座席に手を置いて守ってはいけない／最初に着席していた椅子から、防御のために移動したら、元の椅子には戻れない／椅子を円陣や横一列に並べてはいけない

オススメプログラム その23「ワンワードモノローグ」

場づくりのポイント　失OK　失敗だらけのチャレンジを支え合う〜失敗も楽しむ

【ルール】二人から四人くらいの小グループで実施します。何か、その場にある「もの」をひとつ選び出し、ひとり「一言」ずつ言葉を繋いで、その「もの」の独り語り（モノローグ）を語り継いでいきます。（例）割り箸が自分の秘密について語る／ボールペンの自慢話、等。持つことが可能ならば、その「もの」を手渡しながら実施するようにします。

【所要時間】ルール確認３分→モノローグ１分30秒→ふり返り１分

【オススメポイント／留意点】
「割り箸の秘密とは何なのか?」、あるいは「ボールペンは何が自慢なのか?」、という話のポイントを短時間（1分30秒程度）で、しかもワンワード（ひと言ずつ）しか言えないルールの中で、いかに共有できるか、というチャレンジです。うまくいかなくて当然のプログラムなので、ふり返りを重ねながら、繰り返し実施していくようにしています。「うまくいくまでやる」ということではなく、うまくいかないことを楽しみながら、互いのアイデアの活かし方を学んでいきます。

【元ネタ】「ワンワード」（即興カニ・クラブのワークショップで経験）（注2）

【年齢・経験に応じたアレンジ】

「ワンワード・○○が大好き！」

三人で「ひと言」ずつ言葉を繋いで、ある一人の人間の主張（なぜ○○が大好きなのか）を語っていきます。「なぜ○○が好きなのか」、その理由を絞り込んでいき、時間が来たことを知らせる鈴が鳴ったら、演者は、最後の決めゼリフ「だから」「私は」「○○○が」「大好きだ！」に到達するよう言葉を繋げ、一番最後の「大好きだ！」は三人で声を合わせて終了します。

「ワンワードの主張」

△△才、職業◇◇の人の、これからの抱負を、「青年の主張」風に語り継いでいきます。

オススメプログラム その24「エア掌」

場づくりのポイント F フィクションの世界で思いっきり表現を楽しむ～架空の世界にいざなう

【ルール】進行役が「ここに居る全員で私の掌の上に乗ってください」と言って、掌を動かします。どうしたら「乗る」ことができるのか、両掌の動きを見ながら考えて、「乗り方」を思いついたら、「言葉」ではなく「身体の動き」で表現していきます。

(例) 掌を上下に動かしたら、ジャンプする／掌を左右に傾けたら、左右に落ちそうになる　等。

【所要時間】２～３分

【オススメポイント／留意点】

場づくりの導入時に、「フィクションの世界で遊ぶ時間」を経験するプログラム、小学校低学年向きです。

【元ネタ】「掌に乗る」(かめやまゆたかさん～楽劇団いちょう座主宰～のリーダーズシアターのワークショップで体験)

オススメプログラム その25「プレゼントゲーム」

場づくりのポイント F フィクションの世界で思いっきり表現を楽しむ～架空の世界にいざなう

【ルール】二人組で実施します。まず、ＡさんがＢさんにプレゼントを渡します(台詞「はい、プレゼント」)。何を渡したのかは言わず、大きさや形、重さなどを身振り手振りで伝えながら渡すようにします↓Ｂさんは、喜んで受け取りながら、そのプレゼントが何なのかを決めていきます。(台詞「ありがとう！　この〇〇」)↓Ａさんは、渡したものが「〇〇」のつもりではなくても、受け取ったＢさんの「このプレゼントは〇〇である」というアイデアを受け入れて、そのプレゼントについて、何かひとつ描写を付け加えます（台詞「この〇〇、とっても～なんだよ」→その描写を受けてBさんがさらに何かひと言付け加えます。（台詞「ほんとだ！　～だね！　ありがとう！」）ここまでがワンセットです。

（例）Aさん「これ、プレゼント！」（長細いものを持っているような演じ方で渡す）→Bさん「ありがとう！　この『釣り竿』」→Aさん「その『釣り竿』、すごく軽くてやわらかいんだよ。」→Bさん「ほんとだ！　すごく、よく曲がるね。ありがとう」→Aさん、Bさん、役割交代して繰り返します。

【所要時間】5～10分

【オススメポイント／留意点】

会話だけ（言葉だけのやり取り）にならないように、目の前の「プレゼント」の大きさ、形、重さ等を常にイメージし続けて、架空のプレゼントにさわりながら演じるようにしていきます。また、このプログラムは「プレゼントを贈る」という設定なので、演じている目の前の相手を「大事にする」「リスペクトする」ことが自然にできてきます。「インプロって、何でもありなんだから、面白ければ何をやってもいいんでしょう?」という勘違いが出始めたら、この「プレゼントゲーム」を実施しながら、「相手へのリスペクト」について考えていくようにしています。

【元ネタ】「プレゼントゲーム」（即興カニ・クラブのワークショップで経験）（注2）

「プレゼントゲーム」

【年齢・経験に応じたアレンジ】

「プレゼントが何かは、渡す方が決める」

Ａさんが、Ｂさんにプレゼントを渡し、Ｂさんは何をもらっても「ありがとう」と喜んで受け取ります。Ａさんが、プレゼントについて何かひとつ描写し、Ｂさんは、その描写を受けて何かひと言→役割交代です。

「相手に好きな色を訊いて、その色のものをプレゼントする」

相手に好きな色を訊き、その「色」のもので、相手が本当に喜びそうなものをイメージしてプレゼントします。何をプレゼントされても（たとえ好きなものでなくても）喜んで受け取るようにします。

「関係性を特定する」

プレゼントを渡す時に、相手が何者なのか（または、自分とどんな関係にあるのか）を決めて、呼びかけます。（例・「お母さん！」「ドラえもん！」「社長！」「お客様！」）もらう人は、その関係性を受け入れながら（「お母さん」や「ドラえもん」や「社長」「お客様」になって）プレゼントが何なのかを決めていきます。

「これ、落としましたよ」

プレゼントではなく、「落とし物」を届けます。「この○○、落としましたよ」「ありがとう。～～」。低学年向きのプログラムです。ペアの数だけ、パペット（人形）や、ボール、小さなおもちゃ等を用意して実施します。ペアの一人が、相手の背中を「トントン」と叩き「これ、落としましたよ」と、何かひとつのものを渡します。相手は、架空の設定（何かを落とした）を、否定せずに「ありがとう！」と言って受け取り、さらにそれがとっても大事なものなんだというエピソードを即興で語ります。

（例）小さな人形を渡す→「ありがとう！　これ、おばあちゃんが僕にプレゼントしてくれたんだ」→役割を交代して繰り返しです。

オススメプログラム その26

「イエスレッツ」（別名「いいね！そうしよう！」）

場づくりのポイント F　フィクションの世界で思いっきり表現を楽しむ～架空の世界にいざなう

【ルール】二人組で実施します。まず、二人の間の架空の関係性を設定します。（例・二人は共に十歳で、よく一緒に遊ぶ同級生）↓Aさんが「〇〇しよう！」と提案↓Bさんはどんな提案でも「いいね！」と受け入れます↓ふたりで（満面の笑みを浮かべ、拳を突き上げながら）「そうしよう！」↓ふたりで、その〇〇の動作を演じます（やり方は、自分流でＯＫ）↓Bさん「そうだ、△△しよう！」↓Aさん「いいね！」↓ふたりで「そうしよう！」↓ふたりで△△を演じる……この繰り返しです。提案１「〇〇すること」と提案２「△△すること」の間には何の脈絡がなくても構いません。

※ルール追加①「ゆったりヴァージョン」……ゆっくり静かに提案し、ゆっくり静かに同意。

※ルール追加②「断ってもいいヴァージョン」……提案を断ってもＯＫ、ただし、可愛く優しく断ります。断られたら（めげずに、明るく）相手にアイデアを委ねてみます。「じゃあ、どうする？」↓相手が提案します↓「そうしよう」または「ＮＯ（断る）」を選択しながら、繰り返していきます。

【所要時間】５分

【オススメポイント／留意点】

「相手がどんな提案をしてきても、そのアイデアを否定せずに受け入れてみる」というインプロに臨む基本姿勢を、シンプルなルールで体感するプログラムです。「断られない」という安心感の中で、様々なアイデアを提示し合って遊びます。ハイテンションになりがちなプログラムなので、その「騒々しさ」がしんどくなってしまう参加者も出てきます。そんな時には、「ゆったりヴァージョン」を試します。また「断れない」ことがしんどいと感じる参加者も想定されるので、基本ルールに慣れてきたら、「断っていいヴァージョン」も、適宜導入していくようにしています。

【元ネタ】「そうしよう」（即興カニ・クラブのワークショップで経験）(注２)

【年齢・経験に応じたアレンジ】

「イエスレッツ・全員ヴァージョン」

架空の年齢の集団を設定し（例・全員が幼稚園年長）、大人数で実施します。

「イエスレッツ・断った人は離脱するヴァージョン」

「全員ヴァージョン」のルールで実施し、提案を受け入れたくない人は、（可愛く優しく）断って、そっと離脱します。残ったメンバーは、離脱者は気にせずに、賛同者を大事にしてさらに提案を続けます→賛同者がいなくなったら（一人残ったら）終了です。「断っても壊れないような関係性」（仲良し同士）という設定で行います。（断ることをためらわないように／拒絶されることを恐れないように）

■「誰もがここにいていい」と思える場づくりのために……キーワードから語るこだわり……⑦……■

キーワード・その⑦「安心・安全な場をつくる？」→「安心な場でリスク（安全ではないこと）にチャレンジ」

「場」づくりを始めて、私はずっと「安心・安全な場」をつくろうと意識してきました。そして「安心・安全な場」とは『そこにいる人たちが、笑顔で楽しんでいる場』だと考えていたので「誰もが笑顔で楽しめる時間」を、つくる努力をしてきました。しかし、「いや、それは違うぞ！」と思う場面に、あちこちで出くわすことになるのです。『笑顔で楽しむ』のは無理な人がたくさんいること。なのに『誰もが笑顔で楽しめる場』をつくろうとし続け、それを乱す人を否定している自分。そんなファシリテーター（私）がいることで壊れていく場。そんな経験を経て「安心・安全な場」とは、楽しめない人でも、「ここにいていい」と思える場なのではないか、と考えるようになりました。

先日、二〇〇六年夏から毎月一回開き続けている「インプロinカフェコモンズ」(注10)で、プログラムの途中に円陣から抜けて寝始めた方がいました。何か私の進行やプログラムに問題があったかな？と考えてしまったのですが、あとでその方が「この場だから抜けられた、寝られた」と言ってくださいました。安心な場ってそういうことかなと改めて思いました。

もうひとつ、最近インプロinカフェコモンズで気づいたことがあります。そこでは私自身が『安心して』プログラムの中に「上手くいかないまま」「失敗したまま」終わるものを組み入れられるようになっている、という気づきです。伝わらない、当たらない、分からない、終わらない……そんな「上手くいかない」プログラムを実施すると、伝わるまで、当たるまで、分かるまで、終わるまで……やらないと気がすまない、という人の方が多いと感じるのですが、インプロinカフェコモンズの参加メンバーの多くは、上手くいかないことも楽しんでくれるので、「失敗したまま」（心の中が「もやもやしたまま」「悔しい気持ちのまま」）プログラムを終われるのです。これは「安心・安全な場」というよりは、「失敗」だらけの「安全ではない」場です。でも、「ここでは共に遊べる」という「安心感」があるから、安全ではない即興表現にも、みんなでチャレンジできているのではないでしょうか？

「表現」すること、「演じること」自体が、もともと安全なことではない。そのことを、「場」を作る立場のファシリテーターや授業者が自覚した上で、「安心できる」場をつくり、互いに支え合って「安全ではないこと（失敗だらけの即興表現）」で遊んでいきたい。今は、目指すのは、『安全ではないことにもチャレンジできる安心な場』だと考えています。

▼「安心な場でリスク（安全ではないこと）にチャレンジ」

安心して取り組むための仕掛けとして、「フィクションである」ことを丁寧に設定していくことを、大切にしています。互いに「リアルな自分」ではない「架空のキャラクター」として、インプロを始められるようにしています。どんな「架空」の世界なのか、丁寧に設定し（年齢・仮の名前・架空の関係性など）、「リアルな自分」から「架空のキャラクター」にいつ切り替わるのかをはっきりさせて、フィクションの世界で思いっきり遊べるようにしていきます。インプロの時間の最後には、「リロール」（役を解除）して「リアルな自分」に戻ることも重要です。

オススメプログラム その27「数字de感情表現」

場づくりのポイント F フィクションの世界で思いっきり表現を楽しむ〜架空の世界にいざなう

【ルール】

●**ステップ①**……二人組を組んでスタートします。相手に対して強い感情（例えば「昨日喧嘩した二人が、いまだに相手に対して激しく怒っている」）を抱いている二人が、街角や、校舎の廊下等で「すれ違う」と設定し、すれ違いざまにその感情を、数字で伝えます（その感情を乗せやすい数字を一つだけ選びます）

●**ステップ②**……同じような感情を共有している二人が、その感情を徐々に高めながら、数字を1から順にカウントアップしていきます。20まで／30までと終わりを決めて実施します（例・激しい怒りをぶつけ合い喧嘩する）

●**ステップ③**……共有していた感情が、数字のやり取りの中で変化していきます（例・大喧嘩していた二人が、30までカウントアップしていく中で、仲直りする）

【所要時間】①②③で10分

【オススメポイント／留意点】

「非言語だけれども、声を出す」表現を体験し、「言葉」以外の手段での感情表現を工夫していくプログラムです。「数字だけでも気持ちが伝わる経験」「数字しか使えないから伝わらなくて、もどかしい経験」は、普段使っている「言葉による表現」を見直す、とても良い機会になります。

【元ネタ】「数字de感情表現」（井谷信彦さんのワークショップで経験）（注12）

【年齢・経験に応じたアレンジ】

「数字deドラマ」

二人の関係性を設定します。（例・ショッピングモールで何か買ってとねだる駄々っ子と、その親）→二人でシーンを演じます。声に出すのは「数字」限定、1～30までの数字を順番に言うだけです。1でシーン（会話）がスタートし、30でエンディングを迎えます。終了したら、演じたドラマの中で何が起きていたのか（「駄々っ子は、何か買ってもらえたのか」）ふり返ります。

「数字de感情表現」

オススメプログラム　その28「感情当て」

場づくりのポイント　創　一緒に「つくる」～協働・創造

【ルール】その場の「感情」を当てる役を一人決め、その人に、部屋の外に出てもらいます。その間に「感情」をひとつ決めます。（例えば「わくわく」）その決めた感情（「わくわく」）を、言葉を使わずに伝えるプログラムです。当てる役の人は、部屋に戻ったら、全員に何かの動作をするよう指示をします。（例えば「本を読む」「掃除機をかける」など）参加者は決めた感情（「わくわく」）で、指示された動作を即興で演じます。一人で演じても、数人でシーンを作ってもＯＫですが、言葉は発しないようにします。予め指示は「三つ」程度に決めておき、三つ演じても当たらなかったら、終了です。

【所要時間】５～10分

【オススメポイント／留意点】

同じ一つの「感情」を伝えるのにも、多様な表現方法があることを、場に居る全員で遊びながら学べるプログラムです。「当てなければ（当てさせなければ）いけない」のではなく、「当たらなくて当然」「もし伝わったら奇跡」という前提で取り組んでいます。「当てる人」を、そのクラスの担任の先生など、参加者が「思いを伝えたい」という意識を強く持てる人にやってもらうと、真剣味が格段に増します。

【元ネタ】「感情当て」（ケネス・テイラーさんのワークショップで経験）（注４）

「感情当て」

【年齢・経験に応じたアレンジ】

「台詞あり」

感情がなかなか伝わらないようなら、台詞ありで実施してみるのも面白いです。

「相談あり」

決めた「感情」を、どんな動作で伝えたらいいかを、短時間で周りの人と相談してから、当てる人を呼び入れます。

オススメプログラム その29「ワンタッチオブジェ」

場づくりのポイント **創** 一緒に「つくる」～協働・創造

【ルール】これも「感情当て」同様に、その場にいる参加者全員で、互いの表現を楽しむことができるプログラムです。ひとりが、ポーズをとって静止するところからスタートし、参加者は、ひとりずつそこに加わっていきます。加わる時には、誰かの体のどこかに必ずワンタッチして、連結するようにします。全員が繋がって、大きなオブジェが完成したら、それが何に見えるか、見ている人（進行役または観客）がタイトルをつけ（例・「お城」）、そこから「物語づくり」をスタートさせます。参加者を予めAチーム、Bチームに分けておき、まずその半分がオブジェから抜けます。（半分抜けても、残りの半分は、最初の姿勢を維持します）→半分抜けたオブジェが何に見えるか考えて、物語づくりを展開していきます。（例・半分抜けたオブジェは「廃墟」）→抜けたチームが、何かひとつの「イメージ」で、先ほどとは違う場所にワンタッチして、再度オブジェに加わります（例・加わるメンバーは全員「廃墟をさまよう亡霊」）→先ほど「廃墟」を形作っていたメンバーが抜け、「亡霊」だけが姿勢を維持して残り……→抜けたメンバーが異なるイメージで加わり……（例・全員が「ゴーストバスター」）→退治された「亡霊」が抜け……これを繰り返しながら、物語を進めていきます。

【所要時間】10～15分

【オススメポイント／留意点】

大人数が密集して繋がり合うことになるので、その中で誰かが「痛い思い」「嫌な思い」をすることがないよう、実施には慎重な準備が必要です。「ワンタッチサンキュー」～「ワンタッチ彫刻」（**オススメプログラム・その14**）の時と同様、もし「痛い・くすぐったい・恥ずかしい・許せない」等、何らかの理由で、触れてほしくないところに触れられたら、断ってOKであることを伝えます。（断られた人は、タッチする場所を変更します）また、長時間「静止」することになるので、片足立ちのような不安定な姿勢や、ブリッジのような無理な姿勢は避けるよう呼びかけます。大人数での身体表現を「オブジェ」として捉えて楽しむことができる集団であるかどうかの見極めも重要です。そうでないと、身体をぶつけ合ってのふざけっこに終始してしまいます。

【元ネタ】「ワンタッチオブジェ」（かめおかゆみこさんの、日本演劇教育連盟でのワークショップで経験）

オススメプログラム その30 「『何やってるの？』で場面が切り替わる即興劇」

場づくりのポイント　**創**　一緒に「つくる」～協働・創造

【ルール】「何やってるの？」というインプロゲームを、様々なやり方でたっぷり遊んだ後、そのすべてのルールを融合させて（何でもありで）、即興劇を創っていきます。

● **「何やってるの？」**（**基本形**）……三～四人組で実施します。部屋の中にそれぞれのグループが演じるスペースを確保し、一人目の人が初めに演じる動作を決めてスタートします。

（例）「歯を磨く」……歯を磨くシーンを一人目が演じます↓二人目が「何やってるの？」と尋ねる↓一人目は「歯

を磨く」以外の回答を考えて相手に伝え、演じるのをやめます（例えば「空を飛んでるの」と答える）↓二人目は、自分なりの「空を飛ぶ」シーンを演じます↓三人目「何やってるの？」……この繰り返しです。

※相手の「〇〇をしている」という答え（アイデア）を拒まないで、受け容れて、演じていきます。その「〇〇」をどんな風に演じるかは、演じ手の自由です。

※どう演じてよいか戸惑っている人がいたら、その次の順番の人が「何やってるの？」と尋ねれば、その状況から救い出せます。

【所要時間】 10分

「何やってるの？」

●バリエーション①（キャラクター設定）……「何やってるの？」と訊く時に、架空のキャラクターを設定して、相手を「ネーミング」します（「ネーミング」とは、その設定がわかる「呼び名」で呼ぶということです）

(例)「お父さん、何やってるの?」「社長、何をなさっているのですか?」↓呼ばれた側は、そのキャラクターに成り切って回答します。

●バリエーション②（会話を追加）……架空のキャラクターを設定して、相手を「ネーミング」しますが、最初はまだ「呼ぶ」だけで、「何やってるの？」とは訊かないようにします↓この呼びかけをきっかけに、二人で会話をしていきます→しばらくしたらその会話の中で「何やってるの？」と訊き……あとはこれまで同様です。

●バリエーション③（次のプレイヤーの「役」を設定）……「何やってるの？」と訊かれたら、「おまわりさんがご飯食べてるの」「ドラえもんが洗濯してるの」というように、返事の台詞の中で、次のプレイヤーのキャラクターを指定していきます。

●バリエーション④（次のプレイヤーを「もの」に設定）……「何やってるの？」→「時計がご飯食べてるの」「三角定規が洗濯してるの」のように「もの」を主語として答えます（ありえない設定でＯＫ）

●バリエーション⑤（感情追加）……「何やってるの？」→「泣きながら、歯を磨いているの」「るんるん気分で、釘打ってるの」のように、動作の前に感情をつけ足します。動作と感情は脈略無く、無関係でＯＫです。

※ここまでは「基本形」同様に、三～四人組で、全グループ一斉に実施していきます。

下記の⑥以降は、「演じるスペース」（舞台）をイメージし、参加者は、上手と下手に分かれて待機して、そこからシーンに加わっていきます。参加人数も増やすことができます。

●バリエーション⑥（真似をする）……「何やってるの？」→「消しゴムがダンスをしてるの」→「消しゴムダンス」が始まります→他のメンバーも、その動きを真似して一緒に動いてみます→みんなで動きながら、誰かが最初にダンスを始めた人に「何やってるの？」と訊いて……

●バリエーション⑦（脇役としてサポートする）……「何やってるの？」→「釣りをしてるの」→釣りのシーンが始まったら、他のメンバーが、『釣り』のシーンに脇役として登場して、シーン作りをサポートしていきます。（例えば「釣られた魚」になる）

●バリエーション⑧（「何やってるの？」で場面転換する、即興劇作り）……即興のシーン（劇）の途中に、誰かが「何やってるの？」と訊いたら、シーンがストップし、訊かれた人が「〇〇してるの」と答えます→質問者が「〇〇」を始めるところから、新しいシーンが始まります。今までのシーンに登場していた他のプレイヤーは舞台から退きます。次のシーンは、今までのシーンとは無関係でもOKです。（短い即興のオムニバスドラマが出来上がっていきます）

【オススメポイント／留意点】

「何やってるの？」というひとつのプログラムを、いろいろなルールで楽しむ中に、即興劇づくりの様々なエッセンスを盛り込んで、体験していくことができます。バリエーション⑧は、発表会プログラムとしてもオススメです。

【元ネタ】「何やってるの？」（即興カニ・クラブのワークショップで経験）(注2)

■「誰もがここにいていい」と思える場づくりのために……キーワードから語るこだわり……⑧……■

キーワード・その⑧「緊張をほぐす？」「恥ずかしがらない？」→「緊張していていい・恥ずかしくていい」

キーワードから語るこだわり①（32ページ参照）で「アイスは（無理に）ブレイクしない」こだわりについて述べました。参加者の緊張や恥ずかしい気持ちを感じた時は、無理にブレイクせず、「緊張していて当然！　恥ずかしくて当然！」「そのままでここにいていい場です」というメッセージを繰り返し伝えるようにしています。「早く緊張をほぐそう」「恥ずかしがらずにできるようにしよう」という働きかけはしません。それよりも大事なのは「今、目の前にいる人に、自分が伝えたいことを伝えること」です。

緊張や恥ずかしさをネガティブにとらえると、その状態を改善しようとすればするほど、意識が内向きになってしまって、今、目の前にいる人を見なくなります。本気であるほど、緊張するし、恥ずかしいのですが、その中でやれることをやる姿は魅力的です。失敗を怖れて緊張する（恥ずかしがる）のではなく、意識を外に向けて、目の前の人を見て、本気で緊張しよう！　恥ずかしがろう！　その本気の表現を互いに支え合おう。そう伝え続けています。緊張するけれど、恥ずかしいけれど、つい夢中で「表現」したくなってしまうような「仕掛け」（題材）選びも重要になってきます。

▼「緊張していていい・恥ずかしくていい」

恥ずかしがりながら、緊張しながらの「本気」の表現を、互いに見せ合うことで、緊張してもいいんだ、恥ずかしがってもいいんだ、その中で伝えようとする姿は魅力的なんだということが実感できます。見せ合う時に「発表する」というニュアンスが強くならないように気をつけています。子どもたちにとっては幼いころから「発表」とは「失敗のないものを見せること」です。「繰り返し練習して、上手に発表しなさい」と言われ続けています。その感覚の「発表」と、インプロ（即興）での表現を互いに見せ合うこととは、大きく異なる時間です。未知のところへ踏み込み、共に創り上げるチャレンジを見守り合い、支え合うことが、反復練習のないインプロでの「発表」です。

オススメプログラム その31「天使と悪魔」

場づくりのポイント　**創**　一緒に「つくる」～協働・創造

【ルール】全員が二列に分かれて向かい合います。その列に挟まれた道を、一人の主人公（二つの選択肢の間で悩んでいるという設定）が、両サイドから次々に囁きかけられる正反対の二つの声（葛藤する自らの頭の中の「天使」と「悪魔」の声）を聞きながら、ゆっくり歩いていきます。主人公は道を通り抜けたら反転し、また元のところまで戻ってきます。（往路と復路で、「天使」役と「悪魔」役は、役割を交代します）出発点に戻った主人公は、どちらの選択肢をとるのか、どんな投げかけに心が動いたのかを皆に表明して終了します。（設定例「今日手に入った大好きなゲームと、明日までの宿題、今、どちらをやるのか」）

【所要時間】10〜15分

【オススメポイント／留意点】

「天使」も「悪魔」も、あくまでも「葛藤する主人公の頭の中にいる天使と悪魔」です。その場に居る全員が一人の同じキャラクター（主人公）に扮することになるわけです。その主人公の葛藤に全員が共感できるよう、「天使」役も「悪魔」役も「他人事」にならないよう、丁寧に状況を作っていきます。「脳内の囁き」が聞こえるという設定なので、「天使」と「悪魔」は大声は出さず、囁きかけるよう促します。同時にあくまでも『役』としての「天使」「悪魔」なので、（道徳の授業で発言を求められているわけではないので）思いっきり極端な意見もＯＫであることを伝えます。主人公は、まっすぐ歩くのではなく、囁いている両サイドへ近づき、耳を傾けながら、ゆっくり歩きます。（最初は、進行役が主人公になり、子どもたちには両サイドの「役」を楽しんでもらっています）「天使」と「悪魔」は希望を取ると、「悪魔」だらけになることが多いので、半々にして、両方体験してもらうようにしています。

【元ネタ】「善悪の道」（寺本佳世さんの国士舘大学でのワークショップで経験）（注4）

「意識の回廊」「選択の小路」「モラルジレンマ」等の呼び方もある。

【年齢・経験に応じたアレンジ】

「天使と悪魔」

「ステージでの演技編」

上手と下手から、代わる代わる「天使」と「悪魔」が登場し、主人公に語りかけます。天使役、悪魔役は『タグアウト』して（トントンと肩をたたいて）交代していきます。主人公は最後にステージ中央で、どちらの選択肢をとるのかを皆に表明します。

オススメプログラム その32「ミラー&シャドウ」

場づくりのポイント　創　一緒に「つくる」～協働・創造

【ルール】

●**「ミラー」**……二人で向き合い、一人が動いたら、もう一人が真似をします（鏡に映っているその人のつもりで一緒に動く）↓役割交代↓慣れてきたら、リーダーを決めずにどちらからともなく同時に動いてみます。

●**「シャドウ」**……二人が縦に並び、一人が動くと、もう一人は、その人の後ろで影のつもりで同じ動きをします。

●**「ミラー&シャドウ」**……縦の列同士（何人でもOK）が向き合い、先頭同士は「ミラー」の「どちらからともなく同時に動いてみる」ルール、後ろに並んでいるメンバーは「シャドウ」のルールで連動して動きます↓先頭を入れ替えて、繰り返し実施。

「ミラー＆シャドウ」

【所要時間】10〜15分

【オススメポイント／留意点】

「相手と二人で向き合って、動きを真似すること」が、なかなか最初からは楽しめない子どもたちがいます。「対面すること」や「真似すること」が恥ずかしかったり、「相手に注目された状態で自分の動きを決めること」に悩んでしまったり……。そういう場合は、全員での「まねっこ遊び」を取り入れて、少しずつ「鏡になりきる練習」を積んでいくと良いと思います。「鏡遊び・影遊び」を思いっきり楽しめるようになったグループの演じる「ミラー＆シャドウ」は、まるでダンスのように、しなやかで自由です。

【元ネタ】「ミラー」（即興カニ・クラブのワークショップで経験）(注2)＋石丸有里子さん「鏡と影」〜雑誌「演劇と教育」(注8)より〜

【年齢・経験に応じたアレンジ】

「まねしてみよう」（まねっこ遊び）

進行役のポーズをみんなで真似をしていきます。最初は「静止画」、やがて、動きを加え、さらに歩き出して、といろいろ試していきます。

「ポーズだけの鏡遊び」

Aさんがポーズ↓Bさんが真似↓Aさんが「ありがとう」（真似してもらってありがとう、という意味で）↓二人でポーズを元に戻す↓Bさんがポーズ↓Aさんが真似↓Bさんが「ありがとう」……と、繰り返していきます。

「ポーズだけの鏡遊び・グループで実施」

二人組・三人組……同士で向き合って、互いのポーズを鏡に映していきます。

「Who´s mirror?」

二人組の『ミラー』で、どちらがリーダーとして先に動いているのかを、観ている人が当てます。（二人は、できる限りどちらがリーダーなのか悟られないように動きます）

NEXT

ここまで、計32個の「オススメプログラム」を紹介してきました。読者の皆さんが、「子どもたちと一緒にやりたい」と思うインプロが一つでも見つかりましたでしょうか？ 「すぐに始めてみたい!!」……そう思った方は、ぜひ、早速!!……と言いたいところですが、その前に、インプロを活かした場づくりの実現のために、心に留めておいていただきたいポイントが三つあります。

実施する前に、ぜひ、**次章「インプロを活かした場づくりの始め方」**を読んでみてください。

第4章

インプロを活かした場づくりの始め方

三つのポイント

子どもたちと、インプロを活かした場づくりの実践を始めるにあたって、ぜひ心に留めておいていただきたいポイントが三つあります。

●インプロを活かした場づくりにあたって●三つのポイント

1　まず「場づくり」をしようとする方自身（大人）がワークショップ等に参加してインプロを体験すること。

2　インプロゲームを実施する前に、インプロを活かしてどのような「場」をつくるのかを、子どもたちと話し合うこと。

3　性急に結果を求めず、実施し続けること。

一つずつ、私の思いをお伝えしていきます。皆さんがそれぞれの現場での実践を始める際の、きっかけやヒントにしてもらえたら嬉しいです。

1 まず「場づくり」をしようとする方自身（大人）がワークショップ等に参加してインプロを体験すること。

インプロに興味をもったら、まずはぜひ一人の参加者としてワークショップに足を運んでみてください。そこで、インプロの「面白さ」「楽しさ」だけでなく「難しさ」「怖さ」を経験することが、「場づくり」にはとても大切です。子どもたちとの「場づくり」を始めると、弾けるように即興表現を楽しむようになる子どもたちに交じって、インプロを楽しめなかったり、難しく考えすぎてしまったり、即興で表現することが怖くなってしまったりする子どもたちが何人も出てきます。そんな時に「今までに経験したことがない『難しさ』だよね」「どう表現していいかわからなくなるよね」「すごく怖いよね」「でも、未経験だからこそ、難しいからこそ面白いよね」と、自らの経験と重ね合わせて、共感し、向き合ってくれる大人がいるかどうかが、「場」の醸成の大きな「鍵」になってきます。

「インプロを楽しんだことしかない」（難しかったり、怖かったりして悩んだことがない）方は、表現できない子どもたちの気持ちと向き合えなくなってしまう危険があります。そして、もっと私が怖れるのは、「一人の参加者として本気でインプロを楽しんだ経験」すら持たずに、インプロで「場」をつくる立場になることです。「インプロって楽しい！　面白い！」という体験のないまま、「インプロを活用したら、何らかの成果が出るはず」という目的意識だけで始めてしまうと、成果を出すために、インプロをしてしまいますよね。そして「成果」が出ないと、「成果」を出さない子どもや、「成果」を出せない自分を責めたり、追い込んだりする危険があるのではないでしょうか？

インプロを活かして「場」をつくろうと考えている方は、まずは自分がインプロを体験し、本気で遊び、心と体を動かして即興表現することを楽しんだり、怖がったりしてほしい。それが、どんな子どもがいても向き合える「場」、どんな「自分」でも向き合ってくれる大人がいると伝えられる「場」、誰もがここにいていいと思える「場」

をつくることに繋がります。近くに足を運べるインプロの「場」が見当たらない場合は、いつでもご相談ください。日本じゅう、どこでも伺います。（166ページ参照）

2 インプロゲームを実施する前に、インプロを活かしてどのような「場」をつくるのかを、子どもたちと話し合うこと。

インプロを始める時に、この「話し合い」なしにインプロを実施したとしたら、子どもたちにとっては、単なるレクリエーションゲームと区別がつきません。しかも、最初の頃は「楽しい」とさえも思えない場合もたくさんあるので、「なんでこんなことをやるんだろう?」「やりたくない」と思う子も、たくさん出てきてしまうでしょう。

「今、みんなで過ごしているこの『場』をどんな『場』にしたい?」と、子どもたちに問いかけて「創りたい『場』を共有し、「みんなが創りたいと思う『場』にしていくための、ひとつのチャレンジとして、インプロをやってみようよ」と、呼びかけることから始めてみませんか?子どもたちが「創りたいと思う『場』に、「その『場』にいるひとりひとり（全員）を大切にする」インプロは、きっと重なり合うことでしょう。自分たちの「願い」をインプロが支えてくれると思えたら、時には難しくて怖いこともある即興表現に、みんなで挑戦していくエネルギーが生まれていきます。

3 性急に結果を求めず、実施し続けること。

「誰もがここにいてもいい『場』」とは、「多様性を受け止める『場』」ということです。もしそこに四十人参加しているとしたら、四十人それぞれの「表現」、四十人それぞれの、その日のその場所での「居方」を受け止め合える『場』をつくること。

そんなインプロでの『場づくり』を継続していくと、毎回、いろいろなことが起きます。子どもたちは「様々な表現」を生み出すだけでなく、「様々な参加の仕方（授業中の態度）」をし始め、普段の教科の授業ではあまり見られないような「様々な授業風景」が広がっていきます。個人個人の多様性を受け止める時間を続けることによって、多様な「言動（ふるまい）」が見られるようになります。

「多様な言動（ふるまい）」には、ついついストップをかけてしまいがちです。「みんなと同じようにやりなさい」と注意したくなってしまいます。もちろん、誰かを傷つける言動（暴力や暴言）はストップをかけなければなりませんが、それ以外の個々の「多様性」は、すべてその瞬間のその人の表現であると捉え、受け入れ続けていくと、その『場』自体が「多様」になっていきます。いろんな経験をみんなで共有するには、時間が必要です。「性急に結果を求めずに実施し続ける」ことが肝心です。続けることで、毎回、何が起きるかわからない楽しさ、何が起きても受け止め合える懐の深さ、受け止めてもらえる安心感のある『場』に育っていきます。

どうやってインプロの時間を確保するのか？

「インプロをやってみたいけれど、時間がとれません」「どの時間に組み入れたらいいのですか？」というご質問をよく頂戴します。インプロを実践している各地の学校が、どうやってインプロの時間を確保しているのかを紹介していきますので、学校の実態に合わせて、取り入れていってください。

●「学級活動」の時間に実施する

スタート段階としては、「学級活動」の時間に実施するのが、一番無理がないと思います。第5章に登場する「一年間インプロに取り組み続けたS先生」も、まず最初は学級活動の時間から始めています。「どんな場をつくりたいのか」を授業目標として設定し、四十五分間のインプロ授業プランを組んで始めてみることをおススメします。

●朝の会、帰りの会等に実施する

「学級活動」でインプロを経験し、その目的、楽しさ、難しさを、学級全員で共有できたならば、そこからは、いろんな時間に実施のチャンスがあると思います。朝の会、帰りの会のプログラムに組み込んで続けている学級もありますし、昼休み等のクラスレクの時間にも活用できます。ちょっとした空き時間に五分、十分、十五分……、使える時間の長さに合わせて、プログラムを選択していけば、インプロを無理なく日常化していくことができます。

●学校全体の計画の中に位置付けて、継続的に実施する

教科・領域の授業計画の中に、インプロを活かした時間を組み込んで、継続的にインプロに取り組んでいる学校もあります。総合学習（千葉県白井市立池の上小学校）・道徳（千葉県柏市立酒井根西小学校）・人権についての学習活動（京都市立養正小学校）。それぞれの取り組みについては第5章を参照してください。

●職場の仲間と一緒にインプロを体験する

学校の授業の中で、インプロを活かした場づくりを進めていくには、職場の仲間・上司の理解と協力が不可欠です。まずは一緒にインプロ体験！！職場でのインプロ研修会を企画してみませんか？　お声をかけていただけたら、いつでもどこでもお手伝いに伺います。（連絡先166ページ参照）

すぅさんコラム④

まさか自分がステージに立つなんて

自己紹介の代わりに④

二〇〇二年二月にインプロに出会い、総合学習で「即興・演劇」の授業を始めた私は、二〇〇三年、自分自身も新たなチャレンジを始めました。「即興カニ・クラブ」(注2)の日曜クラス(ワークショップ)に通うだけでなく、金曜夜のクラス(「即興カニ・クラブ」主催の「シアタースポーツ」と呼ばれるインプロのパフォーマンスに出演するための稽古場)にも参加し始め、生まれて初めて劇場の舞台に立つことになったのです。

それまで演劇の経験がまったくなく、人前で演じたことなどなかった私が、東京・東中野の小さな劇場のステージで経験した緊張感、高揚感、チームで演じることの楽しさ、難しさ……あの時の様々な心の動きを、今でもはっきり覚えています。

二〇〇六年に退職してからは、さらに水曜日の夜に、「即興演劇だんすだんす」主宰の今井敦さん(注13)のワークショップにも通い出し、即興パフォーマンスの手ほどきを受けました。また、「インプロinカフェコモンズ」(注10)のために毎月関西を訪れる中で知り合った「即興演劇集団フリーフライツ」座長の伽羅さん(注7)に声をかけていただいて、大阪や神戸でのインプロのステージにも出演させていただけるようになりました。東

京・荻窪のＬＩＶＥ　ＢＡＲ　ＢＵＮＧＡでは、インプロカンパニーPlatform（注5）のメンバーと一緒に『即響ＢＵＮＧＡ～インプロオープンステージ』と名づけたインプロ専門のオープンマイクイベントも始めました。

インプロのワークショップや授業を展開すること（二〇二〇年三月末までに一四七五回のワークショップや授業を実施）と並行して、即興パフォーマンスのステージに立ち続けること（二〇二〇年三月末までに三六七回パフォーマンスに出演）は、私にとって、とても大切な意味を持っています。何より、ステージでのチャレンジは、大変刺激的で楽しい時間です。同時に怖さ、緊張感を伴う失敗だらけの時間でもあります。ワークショップや授業で出会う参加者の皆さんが、インプロにチャレンジする時の「ワクワク」や「ドキドキ」に向き合う日々を過ごす私には、自分自身が「ワクワク」「ドキドキ」し続けるこの時間が絶対に欠かせないのです。現在は、関東では「大人のインプロ同好会」のさとし・くろめぐの二人（注14）と一緒に『荻窪インプロパーク』『津田沼インプロパーク』の二か所でライブを開催し、関西では「インプロinカフェコモンズ」（注10）に集うメンバーで結成した『チーム双龍居』で、パフォーマンスを続けています。

第5章　小学校現場での実践報告

一年間、インプロをやり続けた小学校3年生たち～S先生の実践～

ここからは、一年間、インプロでの「場づくり」を継続した、千葉県内のある小学校3年生の学級の取り組みをご紹介します。このクラスの担任・S先生が、なぜインプロを始めようとしたのか、どうやって始めたのか、繰り返し行われる「インプロ」を子どもたちはどのように受け止め、どのように変わっていったのか、私はS先生と、3年生三十二人に直接インタビューを試みました。

インタビューをして一番印象的だったのは、子どもたちに「自分自身やクラスが変わったと思うことがあったら教えて」と尋ねたら、びっくりするくらいたくさんの、具体的な回答があったので、その「変化」はいつ頃感じたのかについて訊いてみると、その「時期」が本当に人それぞれだったことです。インプロを続けていく中で、子どもたち一人ひとりが日々の学校生活の中で「こんなふうに過ごせたらいいな」と願っていることが、ゆっくりゆっくり実現していることが伺えます。一人ひとりが、それぞれの体験の中で、それぞれの時期に自分自身やクラス全体の変化を感じ、「自分たちのクラスの日常にインプロがあること」を肯定的に受け止め、インプロの時間を楽しめるようになっていったのでしょう。全員が「自分の存在を認められているクラスだった」という実感を持って一年を振り返り、その場づくりに大きな役目を果たしたインプロのことを笑顔で語る、そんな素敵な3年生たちでした。興味深い話、示唆に富んだエピソード満載です。

▼S先生へのインタビュー

二〇一六年四月、3年生の担任になった学級開きの翌日から一年間ずっと、子どもたちと一緒にインプロに取り組んだＳ先生に、じっくりお話を伺いました。

◆――なぜインプロをやろうと思ったのですか？

Ｓ――インプロに出会った時に「いいな」「面白いな」と思った感覚がありました。それは「どんな表現をしても受けとめてもらえる気持ちよさ」「思いつかなかった時に、フォローしてくれる心地良さ」です。それを子どもたちにも体験させたいと思って始めました。

◆――いつ始めたんですか？

Ｓ――始業式の翌日に早速二時間実施しました。

◆――インプロ初回、子どもたちにはどんな話をしましたか？

Ｓ――インプロは「みんなとなかよくするためのもの」と話しました。それとインプロワークショップで知って、とても印象的だった「ミステイク・イズ・ギフト（失敗は贈り物なんだ）」という言葉を伝え、混乱やもめ事を避けるために「互いの身体は触らない」というルールを設定しました。

◆――インプロ初日の反応はどうでしたか？

Ｓ――まず「呼ばれたい名前」を名乗ってＯＫということに「えっ⁇」と戸惑っていました。でも、「呼ばれたい名前」を考え、名乗ることが、嬉しいようでした。

◆――どんなプログラムを実施しましたか？

Ｓ――「グーチョキパーアンケート」「スケールライン」「妄想ごっこ」「そうしよう」「名前手裏剣」です。ワクワクドキドキの時間になりました。（この時の子どもたちの受け止め方は、実に様々でした）

◆――一年間で何回くらい実施しましたか？

Ｓ――週一回〜二週間に一回のペースで、計三十五回です。

◆――どんな時間を活用して実施したんですか？

S――◎学級活動の時間（四十五分じっくりと）

◎道徳の時間（ねらいを絞って）

◎総合の時間に英語とセットにして（総合の時間の半分が「英語」という時間設定の日が多かったので、残りの半分を使って）

◎空いた時間にちょこっと（子どもたちがインプロに慣れてくると、ほんの少しの空いた時間に、五分とか十分、実施することが可能になりました）

◆――その後、どんなプログラムを実施しましたか？

S――「連想」「無関係ワード」「ペアde無関係ワード」「スケッチ」「天使と悪魔」「アイアムゲーム」「タケノコニョッキ」「魔法使いの鍵」「振り返りニンジャ」などです。

◆――インプロを一年間実施し続けてよかったと思うことを教えてください。

S――「子どもたちのいいところが見つかること」（普段とは違う光景をみることができる）

「子どもたちに対して普段できない声掛けができること」

「いい関わりができること」

「クラスのテンションが低い時の『切り札』になっていること」。

（なぜ「切り札になる？」～「子どもたちがインプロを好きだから」）

他のゲームは、強いルールがあって、楽しめる子と、そうでない子がいる。インプロはゆるいルールで、抜け穴がある。だから、みんな楽しい。

「子どもたちひとりひとりにとって、『クラスメートについての発見』があること」「見つかっていい（発見されていい）と思える」「安心」

「クラスメートに対して、失敗に対して「寛容」になること」
困っているクラスメートに対して『３組では失敗していいんだよ』という声がかかる。

◆――インプロに出会って、クラスでも実践したことで、Ｓ先生自身に変化はありましたか？

Ｓ――想定外の子どもの反応（行動）を、活かそうと考えるようになりました。研究授業（参観者が居る中での公開授業）で、子どもの反応が指導案からずれた時に、指導案ではなく、子どもに寄っていくようになった自分がいます。その時の反応が予想外なのは、準備不足・教材研究不足なのですが、当日、子どもの反応（行動）を活かすことができたのは、インプロ体験あってのことだと思います。

Ｓ先生とインプロの出会い――インプロの授業が始まるまでの経緯

二〇一五年九月、Ｓ先生は、教員仲間のＮ先輩にインプロ（即興演劇）の公演に誘われました。ひと足先にインプロに出会っていたＮ先輩は、「Ｓくんはインプロに向いてるだろうな」「きっと好きだろうな」と思ったんだそうです。池袋シアターグリーンＢＡＳＥ　ＴＨＥＡＴＥＲで、インプロカンパニーPlatform（注５）第７回公演「その探偵の名」を観て、先輩の予想通りインプロを好きになったＳ先生は、二〇一五年十一月に、筆者がファシリテーターを務めるワークショップ「即興型学習研究会」（注１）に参加し、即興表現を初めて体験し、衝撃を受けました。その時に感じた「良さ」「楽しさ」を子どもたちに体験してほしいと考え、当時担任していた3年生のクラスで「ゲーム」として早速実施しながら、「来年度は、クラスで本格的にインプロに取り組んでみよう」と考えるようになりました。

その後、Ｓ先生は、教員対象のワークショップだけでなく、即興芝居の舞台に立つパフォーマー対象のワークショップ（ファシリテーター・戸草内淳基～インプロカンパニーPlatform）（注５）にも参加し、インプロを、より濃密に体験していったのです。「自分自身がインプロの楽しさ、難しさ、怖さを実体験したからこそ、クラスで実践できた」とS先生は語ってくれました。

子どもたちの声

続いては、子どもたちの声をお聞きください。

小学校3年生としての一年間、四月の始業式直後から、毎週のようにインプロを続けてきた3年生の子どもたちとの最初の出会いは、二〇一六年十月でした。ゲストティーチャーとして呼んでいただいて、教室で四十五分間一緒にインプロを楽しみました。

「インプロのじゅぎょうをする時、さいしょからしんけんに考えるのではなく、楽しいゲームをしながら考えていくという事がとてもよいなと思いました。（中略）ポーズをとる時は、発そうや、ひょうげんが、わたしは目に見えました。インプロのじゅぎょうをする前は、インプロってなんだろう、と思っていました。でもインプロをした後には、インプロは頭、目、心をつかう事だと思いました」

「インプロはすごいと思いました。一人一人をこまかく見てくれて。（中略）インプロは、一人のきもちをわからせるじゅぎょうだとおもいます。すぅさんが、インプロのいみをおしえず、じゅぎょうをはじめたのが、わかるきがします」

（授業後の3年生のふり返りシートより）

年明け（二〇一七年一月）に再会したS先生が、こんな話をしてくれました。

「『インプロやるぞ！』って言っても、最近子どもたちは、特に盛り上がらなくなりました。それくらいインプロが日常的なことになったんだと思います。」

その話を聞いて、もう一度、このクラスの子どもたちと会いたくなった私は、学校にお願いして時間を作っていただき教室を再訪問、一年間のインプロ体験について、いろいろな話を聞いてきました。訪問前に左記のアンケートを依頼し、その回答をもとに、教室でクラス全員に、一人ずつ、短いインタビューを実施したのです。

誰もが嬉しそうに、インプロの話をしてくれました。授業の間、一対一のインタビューがひたすら続いたのですが、みんな飽きることなく、笑顔で楽しそうに、友達の話を聞いています。一年間の様々なクラスの風景が甦っているのでしょうか？　頷いたり、コメントしたり……、そんな私と子どもたちのやりとりを、Ｓ先生が、教室の後ろでニコニコ、見守っています。「クラスはどう変わった？」という質問に対し「先生のジョークが面白くなった」という回答が（複数）あった時には、さすがに苦笑するしかなかったですが……。（たぶん、ジョークが上達したんじゃなくて、ジョークを言う先生への親近感、信頼感の変化ですよね）

子どもたちへのアンケートとインタビューから、様々な興味深い事実が明らかになってきました。

子どもたちへのアンケートと、それをもとにしたインタビュー

◆↓アンケートへの回答
☆↓アンケートへの回答をもとに、後日教室で実施したインタビューのやりとり

【アンケート】　インプロを一年間楽しんできたみなさんへ（すぅさんより）

日本じゅうのインプロの時間を、もっと楽しいものにするために、みなさんが今、インプロについて考えていること、思っていることを教えてください。

【しつもん①】初めて先生といっしょにインプロした時、どう思いましたか？

◆――（とても）たのしかった。／5名（☆インタビュー「どんなところが?」↓「まちがえても楽しいから」／2名）
◆――おもしろかった。
◆――びっくりしました。
◆――びっくりしたけどすごく楽しいなあと思う。
◆――「なんだこれ」と思った。（☆インタビュー「どうして?」↓「ふつうじゃない」「からだとか使った」から）
◆――こういうじゅ業なんだと思った。
◆――こんなあそびみたいなじゅぎょうがあることがわかりました。
（☆インタビュー「今はどっちだと思ってる?」↓「授業」／「好きですか?」↓「はい」）
◆――あそびか、じゅぎょうか、わからなかった。（☆インタビュー「今は?」↓「半分半分」）

[しつもん②] インプロしていて、楽しいなあと思うことは、どんなことですか?

◆――まちがえてもわらって流すことが好き。（☆インタビュー「どんな時に笑って流したの?」↓「名前手裏剣」）
楽しいだけじゃなくあたまもよくしてくれる。
◆――ふだんあまり話さない人でも、インプロを通してみんなともなかよくなれたこと。
新しいゲームをたくさんやると、どんどんいろんな力がつくのが楽しい。

（☆インタビュー「どんな力?　何の時?」↓「失敗しても笑えて、よけい楽しくなる。二人同時に失敗して『同じだね～!』って」）
◆――しっぱいをしてもみんなでたすけあえること。
男女かんけいなくゲームができるのでふだんの生活で男女かんけいなく生活できることです。
◆――げきをするのがすきです。ことばではなすこと。

◆――ペアをくんでゲームをやっていること。みんなで『たけのこにょっき』や、えんになってやること。
◆――『魔法使いの鍵』が楽しい。
◆――動きを大きくうごかしてはしゃぐこと。先生の手にのるやつ。
◆――手軽にできるからです。
◆――あそんでいるようで楽しいです。勉強じゃないから楽しいです。
◆――『空想ゲーム』が、自分たちで考えていいということが、とても楽しいです。
◆――『ゾンビゲーム』がいつ来るのかドキドキするのが、おもしろいです。
◆――楽しいゲームなので、新しい人でもなかよくなれる所です。
◆――みんなとたくさんあそべること。しっぱいしてもおもしろい。
◆――みんなの心がしぜん。みんなと楽しくできる。
◆――ともだちといっしょにやってたのしかった。
◆――まちがえても楽しい。えんぎが楽しい。
◆――負けたり勝ったりしても楽しいと思う。男女関係なく遊べるから楽しい。
◆――すぅさんとやった後から、今だと「すぅさんとやりたいなあ」ってインプロで思ったりします。
◆――じゅぎょうだけど、楽しいゲームみたいだからです。
◆――『まじょのこっそり行くゲーム』がおもしろいです。
はじめて先生とインプロをやった時、友だちができたことです。
◆――『ゾンビゲーム』『きつねとたぬき』
◆――『ゾンビゲーム』がドキドキわくわくした。たけのこたけのこにょきっきがおもしろい。
◆――たけのコたけのコにょきっき　てんしさがし

◆──先生の手の上にのるのが楽しいです
◆──せんせいの手にのるやつ（ほんとうはのっていない）……『エア掌』
みんなでいっせいにいうやつ……『妄想ごっこ』
◆──ふりかえりにんじゃ
◆──友だちがいっぱいできる。楽しくできる。
◆──みんなとわかりあえること。いろいろなことをすること。
◆──みんなと遊べること。きょう力して楽しめること。
◆──みんなと笑い合えること。男女かんけいなくできること。
◆──発表が出来る事。いろんな人と出来る。
◆──ばつゲーム　思いつく事
◆──未記入（2名）

[しつもん③] インプロしていて、むずかしいなあ、いやだなあと思うことがあったら、教えてください。

◆──ありません（12人）
◆──とくにありません（4人）
◆──とくにない（1人）
◆──ないです（4人）
◆──ない（3人）
◆──ないで～す‼（1人）
◆──インプロは楽しいので、いやだとか思うことはありません。

◆―しっぱいをよろこび合えるので、いやなことはありません。
◆―むずかしいこと・たけのこにょっき／いやなことはありません。
◆―えんぎをずっとやっているとむずかしい。
◆―王さまからかぎをとるインプロです。
◆―『てんしをさがせ』が、すぐみつかっちゃったから、ずっとただすわってまつだけがいやだった。
◆―ズルをされること
◆―男の子がルールを守んなかったり、げひんな言葉を使ってインプロをするので、やだなあと思います。
……（同じ子が次の質問では「男女かんけいなく遊べるようになった」と記述しています）

［しつもん④］インプロをつづけてきて、自分が変わったなと思うことや、チャレンジできるようになったことがあったら、教えてください。

◆―男女かんけいなくできるようになった。（**☆インタビュー**「何ができたの?」→「いっしょに遊ぶこと」／「いつごろ?」→「11月くらい」／「どうしてできるようになったの?」→「インプロでペアを作ったから」）
◆―すぐ友だちができたり、ペアをすぐきめたりできるようになりました。（**☆インタビュー**「いつごろ?」→「春と夏の間」～「インプロの時、（きめるのが）早くなった」）
◆―みんなとなかよくなった。（2名）
◆―男女かんけいなく遊べるようになった。
◆―あまり男の子とのさがつかなくなった。
◆―男となかよくなりました。
◆―いろいろな人と遊べるようになった。

◆―(はずかしがりだけど)人とよく話せるようになりました。(☆インタビュー「いつごろ?」↓「けっこう最近」)

◆―いろんな人と話したり、あいさつができるようになりました。

(☆インタビュー「いつごろ?」↓「9月ころ、自分からできるようになった」)

◆―あまりしゃべらない人としゃべるようになりました。(☆インタビュー「いつごろ?」↓「けっこう最近」/「どうしてできるようになったの?」↓「インプロで男の子とも組むから」)

◆―さいしょはなせなかったことも、いっぱいはなせるようになって、心もかわりました。

(☆インタビュー「いつごろ?」↓「冬休み前ごろに、気持ちが変わった」)

◆―しゃべったことのない子に、しゃべれたこと。

(☆インタビュー「いつごろ?」↓「4月の最初」/「誰と?」↓「女の子でも誘えた」)

◆―友だちとたくさんしゃべれるようになった。

◆―いろいろな人と、楽しくインプロをしない時も、話せるようになった事。

◆―『ゾンビゲーム』で最初はなかなかいじめられてる子を助けられなかったけど助けられるようになった。

◆―円がきれいになった。

◆―やさしさがとてもついたと思います。

◆―インプロをやる前よりやさしくなった。(☆インタビュー「いつ頃から?」↓「夏休みが終わった後」/「どうしてかな?」↓「インプロして仲よくなれたから」)

◆―前の自分より、もっと楽しい自分に変わったなと思っています。

(☆インタビュー「いつごろ?」↓「4月」/「インプロ前も楽しかったけど、もっと楽しい自分になった」)

◆―はずかしがらないこと/たのしくやること。

(☆インタビュー「いつごろ?」↓「4月」〜「こんなに楽しいんだと思った」「友だちがいっぱいできた」)

◆――心が自然（正直）になれる。（☆インタビュー「いつ？」↓「夏休み前ごろに『笑って流せた』時」）
◆――自分がわからないことにチャレンジできるようになった。（☆インタビュー「いつごろ？」↓「夏休み終わったころ」／「どんなこと？」↓「１回もやったことないこと」）
◆――しっぱいをおそれなくなった。（☆インタビュー「いつから？」↓「最初から」／「どうして」↓「インプロなら笑って流せるから」／「インプロ以外のしっぱいもおそれなくなった」）
◆――（インプロの時間じゃなくても）遊びでいやなものなどができるようになった。（☆インタビュー「いつ頃？」↓「最近」）
◆――やりたくないことをできるようになった。（☆インタビュー「いつごろ？」↓「夏休み前」／「どんなことができたの？」↓「はずかしくてやりたくないことも、できるようになった」）
◆――はずかしいことも、だんだんゆうきがもてるようになりました。（☆インタビュー「いつごろ？」↓「クラス開きの時から」／「どんなことができたの？」↓「友だちになろうって自分から言えるようになった」）
◆――はずかしかったことがちょっとずつできるようになったことです（☆インタビュー「いつごろ？」↓「４月に転校してきて」／「どんなことができたの？」↓「スクールガードの方に大きい声であいさつ」）
◆――インプロできんちょうしてはなせなかったことも、はなせるようになりました。
◆――はずかしがらずに発表が出来た。
◆――ありません。
◆――未記入（２名）

[しつもん⑤] インプロをつづけてきて、このクラスが変わったなと思うことがあったら、教えてください。

◆――すこし楽しいクラスになったと思う。

◆――いっぱいわらいがふえた。
◆――わらいがでてきた。
◆――さいしょはちょっときまずかったけど、インプロをやったらきまずくなくなりました。
◆――みんながもっとなかよくなってることです。
◆――みんなたのしくやっていること。
◆――インプロをするたびにクラスが明るくなりました。
◆――明るいクラスになったと思います。
◆――もっと仲よくなった。
◆――クラスがよりたのしくなった。
◆――楽しい日が毎日です。
◆――みんな笑うようになった。（☆インタビュー「いつごろ?」→「インプロを2～3回やったころ」／「どんなとき笑ってる?」→「休み時間とか」／「どうしてかな?」→「インプロでふだんからよく話しているから」）
◆――インプロのおかげで、みんなとたのしくあそべた。
（☆インタビュー「いつごろ?」→「4月」／「インプロ以外で楽しく遊べた時間は?」→「体育とか」）
◆――男女かんけいなく、クラスの全員がハッピーになれるようになった。
（☆インタビュー「ハッピーな瞬間を教えて」→「みんなと笑えた（瞬間）。みんなが盛り上がるとハッピー」）
◆――男の子女の子がいろいろなところできょう力できるようになった。
（☆インタビュー「協力してできたことを教えて」→「算数で困った時に助け合った」／「いつごろ?」→「夏休み前」／「どうしてできるようになったのかな?」→「インプロで男女組んで協力してきたから」）
◆――『ゾンビゲーム』など、みんなで協力してやるゲームなどをやって、みんなで協力できるようになった。

◆――男女かんけいなくペアを作ることができます。
◆――男女仲よくなったことです。
◆――みんなが話せるようになった。（☆インタビュー「いつごろ?」→「冬休み前」／「どんな様子?」→「いろんな人とふれあって、いろんな人に話しかけるようになった」）
◆――思いやりのある、やさしいみんなになった。
◆――言葉づかいがよくなった。
◆――けんかが少なくなった。
◆――わるぐちやいじめがすくなくなった。
◆――いつもけんかとか、ぎょうかん休みとかにしちゃってるけど、インプロをはじめて、にぎやかになったと思いました。
◆――まえはけんかをしてしまった時もあったけど、インプロをやったらなかよくなれました。
◆――円が、みんなできれいにできるようになった。
◆――じゅぎょう中いがいでも、少しインプロをするようになった。
◆――先生のじょうだんがおもしろくなったよ。
◆――先生のじょうだんがふえた。（じゅぎょう中）
◆――せんせいのだじゃれ（じょうだん）がおおい。（☆インタビュー「いつごろ?」→「10月ごろ」）
◆――先生のじょうだんがふえて、あかるいくらすになった。
◆――わかりません。
◆――未記入（1名）

▼S先生のふり返り

毎日の時間の中に「インプロ」があったことを、S先生は、年度末の、子どもたちへのインタビュー実施後に、こんなふうにふり返っています。

『おそらく日本で一番インプロの授業をやっている学級だろうということで、すぅさんが一年間インプロをやり続けた子どもたちにインタビューに来てくれました！　その中で気がついたことは、インプロで自分や学級に変化があることを多くの子どもたちが認識しているということです。もしかしたら、インプロの力は微々たるものなのかもしれませんが、ただ言えることは、子どもたちは「インプロは自分たちを変化させた、友達と仲良くなれているのはインプロのおかげだ！」と強く思っていることです。恩義に感じているといった方が近いかもしれません。さらに、インプロで何かしらの気づきがあった時期は子どもたちの中でバラバラだということもわかりました。一回目で何かを感じた子、年が明けてから「いいなぁ！」と感じた子、本当に様々です。ここに、続けていた意義があったなぁと思います。先日、先輩から「成長ノートで振り返ることが、とてもよかったのでは？」と教えられました。ただ楽しいだけではなく、それを子ども自身が振り返る、そこに、自分の変化を気づく。とてもよい流れになっていたと思います。』

二〇一九年秋、次の勤務校で奮闘するS先生は、「インプロに取り組むことで、まず何より教員自身が成長できるので、ぜひやってみてほしい」と改めて語ってくれました。一年間、彼のクラスで過ごした小学校3年生は、二〇二〇年春、中学生になりました。

各地の小学校で続けてきたインプロ授業

ここからは、私自身が継続的に関わってきたインプロ授業を紹介していきたいと思います。(注3)

(1) 千葉県白井市立池の上小学校

柏市の東側に位置する白井《しろい》市の池《いけ》の上《かみ》小学校(注3)では、二〇〇二年から十八年間、5年生・6年生での「即興・演劇」授業が続いています。ここ数年は、5年生が年間10コマ(即興)、6年生は年間20コマ＋発表会(演劇)というスケジュールを総合学習の時間に設定して、取り組んでいます。元々この学校に勤務していて、総合学習担当としてこのプロジェクトを企画した私は、今は、授業者として、月に一度通い続けています。(注2)

小学校5年生・6年生の二年間で、二十二回(30コマ)のインプロ授業に参加し、卒業前には、下級生や保護者の前で、三十分間のインプロ発表会(即興パフォーマンスライブ)を経験した子どもたちが、最後の時間に、二年間の即興演劇の授業をふり返って、次のようなコメントを書いています。(二〇一八年二月)

「前に出ることをおそれていたけど、6年になって勇気がわき出てきて、とうとう前に出ることができた」

「少しだけみんなの前にいける勇気をもてた」

「最初の頃より、すごく前に出るようになった自分に驚いています」

「発表会の二週間前から『スイッチ』が入ったのか、前まであまり出なかったのが、出れるようになりました。

すごく変わることができました」

「はずかしいと思ったことでもできるようになった」

「はずかしくても、緊張しても、やることができるようになった」

「前に出ることがはずかしくなくなった」

「人前でしゃべるのが、少しはずかしくなくなった」

「初めはきんちょうして、失敗したらどうしようと思っていたけど、今は失敗してもいいから前に積極的に出れるようになった」

「何ごとも楽しめるようになった」

「感情を表に出せるようになった」

「何事にも前向きに取り組むようになった」

『積極的に動く力』が高まりました。授業でも手を挙げたり、係の仕事を自分からやったり、『自分から』も増えました」

「みんなで協力してインプロをするということが、とても楽しくなった」

「メンバーみんなのことを考えました」

「みんなで協力して、周りをよんで行動し、勇気をもって何事にもチャレンジができるようになりました」


自らの成長を実感している喜びに満ちたコメントです。晴れ晴れとした顔で最後インプロの部屋を出ていった子どもたちの姿が忘れられません。

※池の上小学校での取り組みついては、過去三回「演劇と教育」(注8)に掲載されています。

・「『即興の力』のはじまりと今」吉田敦（注２）～特集「演劇人とつくる授業」のひとつとして～（二〇〇六年三月号）
・「即興を楽しむ授業」鈴木聡之～特集「ドラマの魅力」のひとつとして～（二〇一一年十二月号）
・「昼休みの演劇発表会を観る」神尾タマ子～「研究会報告」として～（二〇一四年十月号）

(2) 千葉県市川市立富貴島小学校

市川市立富貴島《ふきじま》小学校では、二〇一四年度から1年生・2年生・1年生・2年生・3年生と、五年間インプロ授業を実施しました。授業のタイトルは「なかよしのまほう」。以前船橋市立宮本小学校でお世話になった時の学年主任の先生がつけてくださった素敵なタイトルを、そのまま引き続き使わせていただいています。

二〇一九年二月、それまでの三年間、クラスごとに年三回ずつインプロを経験してきた3年生との最後の授業を、学年三クラス合同、体育館での保護者参観として実施しました。この日のプログラムは、言葉を使わずにその場でグループを組んだり、相手にワンタッチして彫刻を作りながら台詞を言ったり（**オススメプログラム14参照**）、身体を動かして「鏡遊び・影遊び」をしたり（**オススメプログラム32参照**）と、かなりダイナミックに動くものばかりだったのですが、インプロ通算十回目の子どもたちは、最初から楽しむ気満々で、どのプログラムにも次々に笑顔でとび込んでいきました。しかも体育館いっぱいに広がって、その場で作ったグループで身体を動かしているのですが、接触等によるトラブルもなく、だからといって動きが小さいわけでもなく、互いの動き（アイデア）をよく観ながら、みんなが楽しんでいるのです。その様子に、私は進行役を務めながら感無量でした。この時間は「どんな表現をしてもいい」場であると同時に「相手のどんな表現も受け止めて、一緒に楽しんでいく」時間だ、と子どもたちが理屈ではなく身体感覚でわかってくれている。「みんなが楽しむために必要なことを理解している」からこそ、実現した「場」だと思っています。

この日の3年生のふり返りシートを何人か紹介します。

「『ワンタッチサンキュー』でどこをタッチしていいのか、探すのが楽しかった」
「新しいゲームを作ってみたくなった」
「今度は僕が遊びをつくれたらいい」
「みんなと同じでもちがくてもいいと気づいた……次からは自分で考えて自分で決めていきたい」

(3) 京都市立養正小学校

京都市立養正《ようせい》小学校（注3）では、二〇一一年から、全校すべてのクラスで、年二回（2コマずつ）のインプロ授業が続いています。ある年の2年生は、インプロの時間のことを「なかよくなれて、ぽかぽかな勉強」と表現してくれました。（二〇一四年のふり返りシートより）

子どもたちは、六年間で45分×24コマ、即興表現のワークショップを経験することになります。

以下は、卒業前の最後のインプロでの、6年生の言葉です。

「今まで六年間、インプロをやってきたけど、失敗したらどうしようという気持ちのない、でも、かんたんには成功できない、楽しいインプロでした。六年間、インプロの授業をしてくれて、ほんとうにありがとうございました。」

「ずっと、答えが決まっていることをやっていたけど、（インプロで）答えが決まってないことをやって、いろんな答えがいろんな人にあったので、よかったです。」

二〇一八年十二月四日の授業後に、ずっとお世話になっている、養正小学校の杉森校長先生・佐藤教頭先生にインタビューを試みました。（以下、敬称略）

Q１―初めてインプロの授業をご覧いただいた時は、どう感じていらっしゃいましたか？

杉森　最初に授業を観た時は、正直、いわゆるゲーム大会的なイメージを持ちました。これがどんな効果が出るのか、若干疑問に思いながらのスタートでした。ただ、普通のゲームではなく、演技的なものが入っていて、お互いを認めるっていう、否定されない安心感が、子どもたちにとって、安心して取り組める活動ではないかな、ということを、最初の一年目の印象としては大きく持ちました。

佐藤　アイスブレイキングというか、ちょっとしたゲームで仲良くなるもの、心をほぐすもの、という印象が強かったです。そういう意図でやっているのかなと、自分なりに解釈していました。

Q２―そんな第一印象だったインプロの授業を、ここまでずっと継続してくださっている理由は？

杉森　子どもたちの実態、生活背景をみていくと、「認められる、褒められる経験が少ない」「ゆっくり話を聴いてもらえない」、そういう子どもたちが多いんです。そういう子どもたちにとって、インプロで、自分を表現する時間を大事にしていきたいと考えるようになりました。

佐藤　表現がへたくそな子どもたちなので、インプロで「こんな表現してもいいんだよ」と自信をもたせたい。「表現方法を教えてもらっている」時間だと思うんです。六年間、同じ先生にずっと見てもらっているので、子どもたちは、すぐに「すぅさんすぅさん」とその世界に入れますよね。成長の様子を継続してみてもらっているから、安心感があります。

Q３――この授業の良いところは、どんなところですか？

杉森　子どもにとっては、担任ではない人と関わる大事な機会になっています。教員にとっては、普段相対している子どもを、客観的な目で見られる。そこでの子どもたちの姿を見ることができる、貴重な時間ですね。

佐藤　子どもたちは、普段と見せる姿が違います。「どんな表現でもいい、マナー・ルールを守りさえすれば」という時間の中で、担任との関係性とは違う姿を見せるし、それもその子の良さなので、それを引き出せるのがいいですね。

（４）千葉県柏市立酒井根西小学校

千葉県柏市立酒井根西《さかいねにし》小学校（注３）では、二〇一八年度から、全学級でのインプロ授業が始まりました。以下は、年度末の二〇一九年三月七日に実施した、阿部校長先生へのインタビューです。

Q１――インプロ授業を導入してくださった理由は？

阿部　子どもたちの様子を見ていて、明るく素直な子どもたちが多いんですけれども、クラスの中で、結構、低学年中心にトラブルがあるんです。そのトラブルっていうのが、ちょっとひと言声を掛けたりするような「言葉のキャッチボール」ができてないので起きてしまうことが多いと感じたんです。要するにコミュニケーション不足なんですよね。だから、そのコミュニケーション不足をどういうふうに補っていくかというので、インプロっていうのは、相手を理解するとか、相手の気持ちになったりとか、相手を否定しないとか、そういうねらいなので、子どもたちのニーズにとても合っているんじゃないか、そしてそれが楽しみながら自然と身につくんじゃないか、と思って導入したんです。

Q２―実施してみて感じている、インプロ授業の良さは？

阿部　良い点は、まず、子どもたちって、すぅさんが来るじゃないですか。普通は、担任の先生とか、高学年では専科の先生とかしか接していないから、「どんな人が来るの」っていう好奇心があって、すごく興味をそそられている。子どもたちの様子を見ると、すごくいきいきとしていて、嬉しそう、楽しそう。そして、インプロの精神である「相手を認める」ということがあるので、安心してできている感じがします。特に、学級で普段先生の指示通りやらないとか、「やんちゃ」って言われる子が、前向きにやっている傾向があるんじゃないかな。インプロの時間には、何かいつもと違うものを感じるんだろうね。「安心感がある」とか「やっておもしろい」とか「できた」とか……。「安心すると表現できる」というのは、インプロの授業で一番感じるところですね。

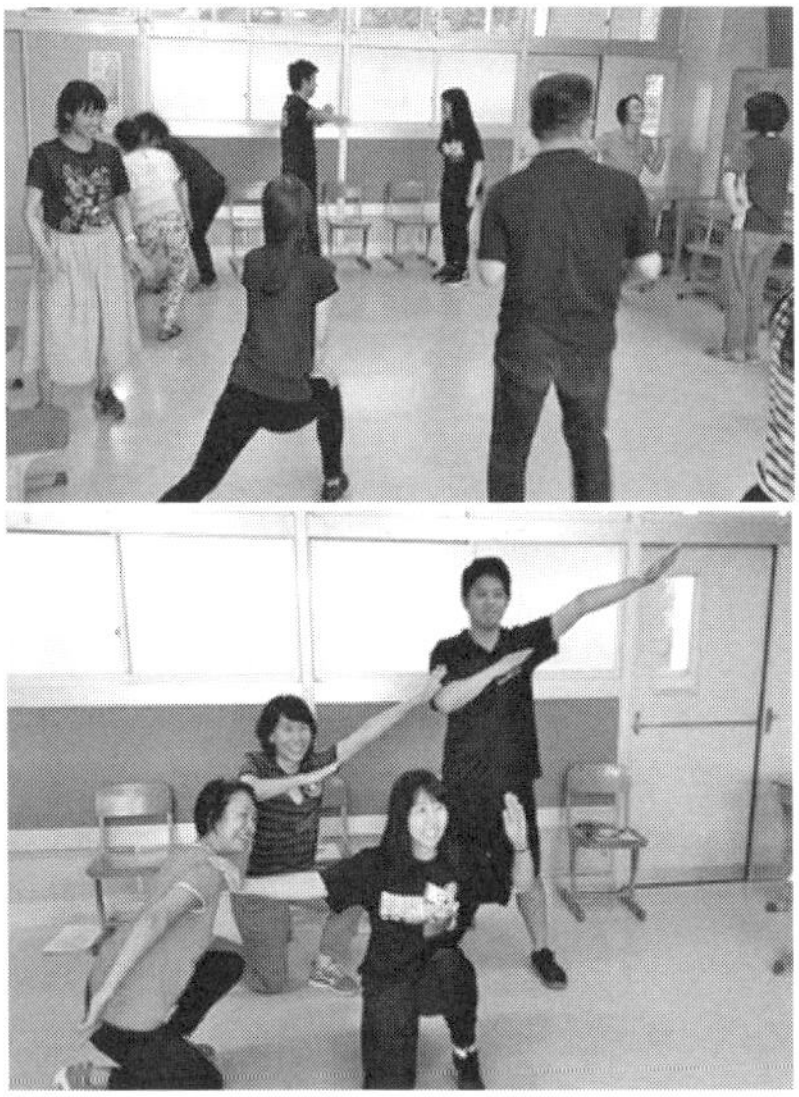

先生たちも全員でインプロを体験

Q３―担任の先生方にとっては、実施してみてどうだったんでしょうか？

阿部　先生方は、初めは何をやるのかわからなくて、外から傍観者になってしまっていた人もいたけれど、すぅさんが、授業の意図をきちんと説明してやってくれたので、だんだん理解できて、楽しくやっているんじゃないかな。子どもたちの「ふり返り」を読んで、「この子は、こんなことを感じているんだ」とわかって、それを学級経営にもフィードバックしたりもできています。授業開始前（夏休み）に先生方全員で一度インプロ体験できたのも良かったですね。書いてあることを読んだだけではわからない。ライブ（実際の経験）って大事なんですね。

Q4──**今後、この授業を、どんな方向に活かしていけたらいいと考えていらっしゃいますか？**

阿部　先生たちにとっては、子どもたちがインプロで普段と違う顔を見せたことが、自分の普段の接し方を見直すきっかけになってくれたらいいなと思っています。子どもたちにとっては、インプロ一年目（二〇一八年度）のワークショップは、「対すぅさん」という時間だったので、次は「子どもたち同士」でいろんなことができるような内容のものを、どんどん増やしていけたら面白いですよね。それは新学習指導要領の「主体的、対話的な深い学び」に繋がっていくんではないかな。インプロは、自分で考えて、対話して、相手のことを知って、表現していきますから。

阿部先生は、二〇〇六年に教員研修の場で初めてインプロを経験し、二〇一三年に当時教頭として勤務していた小学校に、インプロ授業を取り入れてくださいました。全校児童一〇〇〇人近い、三十学級以上ある大きな学校でした。最初の年は、子どもたちにとっては「すぅさん⁇　このおじさん誰？　インプロって何？」の状態。初対面が三十クラス続く取り組みの中で、次々に子どもたちと出会い、向き合い、場を作る日々。1年生から6年生まで、様々なクラスの子どもたちに鍛えてもらいました。そこから毎年、阿部先生の勤務校でのインプロ授業が続いています。（柏市立柏第五小学校／野田市立柳沢小学校／柏市立酒井根西小学校）

第6章

インプロを活かした「場」づくりを続けてくださっている方々に共通していること

素敵な共通点

インプロでの場づくりを始めて二〇二〇年二月で丸十四年が経過しました。おかげさまで、前章に登場した小学校のように、長いお付き合いが続いている現場が、いくつもあります。そんな「毎年、私に声をかけて呼んでくださる方々」には、あるはっきりした共通点があるんです。それは、

「その場に居る全員を大事にしていること」
「その場に居る全員（一人ひとり）に真剣に向き合っていること」

その素敵さを、もっと適切な言葉で伝えたい！と思うのですが、なかなか言葉が見つかりません。どの現場も、本当にその「大事にしている度合い」「真剣に向き合っている度合い」が半端ないのです。

・全校児童に向き合う小学校（前章参照）
・利用者ひとりひとりの「今日」に真剣に向き合うＮＰＯ法人（注15）
・所属する全員の成長に向き合うキャンプリーダーグループ（注16）
・参加者全員に向き合う自立支援プログラム（注17）

どの「場」にも、互いの存在を認め合う「敬意」があり、「建て前」で片づけない「本音」のぶつかり合いがあり、「信頼感」「安心感」の中での「語らい」と「笑顔」があります。

「大人」とか「子ども」とか、「先生」とか「生徒」とか、「仕事」だからとか、「仕事じゃないから」とか、「健常である」とか「障がいをもっている」とか、「支援している者」だからとか、「支援してもらっている者」だからとか……

――そんなことに関係なく、ひとりの人間同士として、向き合っている人々の「場」は、あたたかいです。

そして、そんな「場」を維持するために、日々「プロ」としての、真剣な努力が積み重ねられています。

私が時々足を運んでインプロを提供するから、素敵な「場」ができるのではなく、そこに既にある「素晴らしい場」に、インプロは相性がとても良いのです。

「寄り添う」のではなく――

「○○に寄り添う」という言葉がありますよね。

私も、よく使っていました。「子どもたちに寄り添っていきたい……」「今日出会う参加者の皆さんに寄り添っていきたい……」

最近、自分のその「寄り添う」は、なんて傲慢なんだろうと思うようになりました。

各地の現場で、「向き合って」生きている人の真剣さに比べて、「寄り添う」って何だよ……甘いよ……と。

「寄り添う」のではなく「向き合おう」。

一緒に「今、ここ」にいよう。

一緒に遊び、一緒に学び、一緒に失敗し、一緒に悔しがり、一緒に喜ぼう。

それは、「一緒に本気でインプロする」ことと、「同じ」ことだと、各地の現場で出会った皆さんが教えてくれました。

「本気のインプロ」から、「共に生きる」ことの素晴らしさと、難しさを日々学んでいます。

「寄り添う」に限らず、以前自分が、学校の授業やインプロのワークショップでの発言や、配布資料（共著書『ドラマと学びの場』二〇一四年、晩成書房（注9）を含む）の中で使っていた言葉で、今回自分の伝えたいことにはふさわしくないと思うものがいくつも出てきました。「場」をつくる者としての未熟さを思い知ると同時に、耳触りの良い言葉を安易に使用する怖さも感じています。本書の私の表現にも、しっくりこない方がたくさんいらっしゃると思います。でも、その「違和感」を語り合えたら「場づくり」について、さらに有意義な議論ができると思いますので、ぜひ本書についての率直なご意見、ご感想をお寄せください。（連絡先166ページ参照）

注釈　お世話になっている各地の皆さんのこと

ここでは、各地の「現場」でお世話になっている皆さんを、本書に登場した順に、ご紹介していきます。

▼注1 **即興型学習研究会**……「即興型学習」（即興性のあるアクティビティを取り入れた学習方法）の研究・開発・実践に取り組んでいるグループです。主催は「特定非営利活動法人グラスルーツ（代表・池亀がめらさん）」。私は、この研究会の顧問として、様々なゲストファシリテーターの方と一緒にワークショップを開催してきました。その中の一人が99ページに登場する小口真澄さん（英語芸術学校マーブルズ）です。

▼注2 **即興カニ・クラブ**……一九九六年以来、毎週「場」を開き続けるインプロワークショップの老舗。現在は代々木で開催中。二〇〇二年に私が初めてインプロに出会った場所で、主宰の吉田敦さんが、私にとって一人目のインプロの「師匠」です。その年から吉田敦さん・アシスタントの河合博行さん&涼木さやかさんの三人が、当時私の職場だった白井市立池の上小学校で総合学習の授業を開始。その後十八年続くこの授業の二〇一九年度のスタッフは河合博行さん（十八年目）、UZMさん（十四年目）と、元職場に外部講師として復帰した私（十一年目）です。13ページで紹介した「よく観て、よく聴いて」は「即興カニ・クラブ」が毎年開催している「シアタースポーツ」の舞台でチームメイトだった「おすぎさん」の言葉です。

▼注3 **小学校インプロ授業**……千葉県白井市立池の上小学校5・6年生総合学習（平成14年度〜令和元年度、月一回継続実施中）／京都市立養正小学校（平成23年度〜令和元年度、全学級で実施）／千葉県柏市立柏第五小学校（平成25年から開催、平成26〜30年度は全学級で実施）／千葉県市川市立富貴島小学校（平成26〜30年度に一学年限定で実施）／千葉県野田市立柳沢小学校（平成28〜30年度全学級で実施、令和元年度は全校縦割り集会でインプロ）／千葉県柏市立酒井根西小学校（平成30年度〜令和元年度、全学級で実施）

たくさんの子どもたちと出会い、その笑顔に支えられて今日までやってきました。子どもたちとの現場で鍛えられた経験は、私の宝物です。

▼注4 **ケネス・テイラー**……ドラマ・ティーチャー──育成と演劇教育のスペシャリスト。英国ミドルセックス大学PGCEドラマ（ドラマ教師養成）課程教官だった二〇〇一年から十年間、定期的に日本でワークショップを開いていました。私もその場に何度も参加し「ドラマ・イン・エデュケーション」の基礎を学びました。ワークショップ参加者ひとりひとりに丁寧に向き合う「ファシリテーターとしての姿勢」と、様々な「ドラマの技法」を教えていただきました。ケネス・テイラーのもとへの留学を経験している、俳優の寺本佳世さん・西海真理さんのワークショップにも参加し、さらに学びを深めることができました。

▼注5 **Platform**……インプロカンパニーPlatformは、二〇一〇年八月に結成された即興パフォーマンスチーム。一つの公演が一つのストーリーとなる演出・構成の「コンセプトインプロ」の公演に取り組み、これまでに十五回の本公演を積み重ねてきています。（誰と結ばれるかわからないラブストーリー公演や、誰が生き残るかわからないバトルロワイアル、有罪無罪を観客が決める即興裁判など）130ページに登場する「S先生」が初めて観たインプロが、Platformの公演でした。二〇一八年一月まで、私は、Platformと一緒に、東京・荻窪のLIVE　BAR　BUNGAでのインプロライブを運営していました。メンバーの一人、即興ミュージシャン（ピアニスト）の村田貴章さんとは、今もインプロパーク（注14参照）のライブで共にパフォーマンスをしています。

▼注6 **武蔵野学院大学**……埼玉県狭山市にある大学です。二〇〇四年に開学しました。二〇〇七年四月から、国際コミュニケーション学部の非常勤講師として勤務しています。

▼注7 **伽羅**……伽羅（キャラ）さんは、私が「インプロinカフェコモンズ」（注10参照）を始めて、関西へ足繁く通うようになって間もない頃、劇場で出会いました。観客のつもりだった私を「せっかく来たんだから、舞台に上がりなよ」と声をかけてくださいました。「即興演劇集団フリーフライツ」座長で、関西のパフォーマーたちのリーダーの一人である伽羅さんとの出会いから、カクテルホイップの二人（「ひめ」「まめっち」）、

「りょうちん」こと白石涼子さん（Sand Pit）、はせなかりえさん（町劇Akashi ブレスandブレス）など、たくさんのインプロヴァイザーたちと知り合い、一緒に演じたり、遊んだり、学んだりする機会をもつことができました。演じても、踊っても、語っても常に恰好いい伽羅さんに会うと、いつも身が引き締まります。

▼注8 **演教連・「演劇と教育」**……「演教連」（日本演劇教育連盟）は、一九三七年設立。演劇の創造と鑑賞をとおして、あるいはまた、演劇的な発想や方法を教育の場に生かし、授業や学級の活動、集会や行事などの活動を活性化させることをとおして、子どもの発達と人間性の形成をめざす教育研究団体です。毎年、全国演劇教育研究集会（全劇研）の開催を続けており、各地で様々な講座が開かれています。「演劇と教育」は、演教連が編集し、晩成書房が発行している演劇教育の雑誌です。私も演教連の会員の一人として、毎号楽しみにしています。

▼注9 **武田富美子**……「ふうみん」こと、武田富美子さんとは、私がふうみんの著書『学びの即興劇』（二〇〇七年・晩成書房）の書評を「演劇と教育」二〇〇九年三月号に書かせていただいたことがご縁で知り合いました。立命館大学（草津キャンパス）の授業にゲストティーチャーとして呼んでいただき、二〇一二年に立命館大学で実施した三つのドラマの授業を、徹底的に分析して一冊の本『ドラマと学びの場』（二〇一四年・晩成書房）にまとめるプロジェクトには、私も授業者の一人として参加しました。ふうみんのもとで、岩橋由莉さん（表現教育実践家）、羽地朝和さん（プレイバック・シアター研究所）、渡辺貴裕さん（現・東京学芸大学教職大学院准教授）、藤原由香里さん（京都府小学校教諭）たちと一緒に、授業と本を創っていく作業は、楽しい刺激と学びに溢れた、かけがえのない時間でした。

▼注10 **インプロ in カフェコモンズ**……二〇〇六年夏、何も決めずに学校を辞めて、人生に迷っていた私に、大阪在住の友人「そんさん」から「インプロをやってみたい人がいるから、ワークショップの進行役をやってくれないか?」という依頼が舞い込みました。「辞めて暇でしょ? 元教師だし、インプロ経験もあるんだか

ら、ワークショップくらいできるでしょ?」と、無茶振りしてくれたこの企画は、二回実施したら好評で「しばらく、月一回ペースで続けてみよう」ということになりました。まさかそれから十三年、一五〇回を超えて続くことになるとは夢にも思わず……。毎月、大阪府高槻市（摂津富田）の「カフェコモンズ」に通って、ワークショップを作り続けたことが、今の私の基礎を形作ってくれたと同時に、関西での数えきれない素晴らしい出会いをもたらしてくれました。毎月月末、日曜日の午後、「大人の遊び場」インプロinカフェコモンズ継続開催中です。ぜひ一度、遊びにいらしてください。

▼注11　**七味唐辛子**……「七味唐辛子」は、鹿児島で活動している即興グループです。「ＣＯＮＴＡＣＴ」というライブを、これまでに三十回以上開催していて、私も、二〇〇七年・二〇〇八年・二〇〇九年・二〇一一年・二〇一六年・二〇一九年と六回出演させていただいています。「いりこ」「しげりん」「ちぃ」……、鹿児島との距離がもどかしい、すぐに会いたくなる仲間たちです。

▼注12　**井谷信彦**……「ひこさん」こと、井谷信彦さん（本業は私立大学の講師）とは、即興パフォーマンス仲間であり、互いに実施したワークショップや授業で面白いことがあったことを報告し合う間柄でもあります。「即興演劇×音楽×ダンス」という素敵な遊び場を関西で開いていて、私もよく遊びに行ってます。

▼注13　**今井敦**……二〇〇六年に無職になった私は「即興カニ・クラブ」と並行して、「即興演劇だんすだんす」主宰の今井敦さんが毎週水曜日夜に開催していたパフォーマー向けのワークショップにも通い始めました。私にとって二人目の「師匠」です。今井敦さんのもと、「ロングフォーム」（長い時間演じる即興芝居）の経験を積み重ねる中で、「即興芝居」の醍醐味を味わい、その面白さ、怖さ、深さを学び続けています。

▼注14　**さとし・くろめぐ**……Platform（注5参照）のメンバーと一緒に出演していた荻窪ＬＩＶＥ　ＢＡＲ　ＢＵＮＧＡでのインプロライブは、二〇一八年二月にリニューアルして、「荻窪インプロパーク」という名前で継続しています。そのイベントを、私（インプロパーク・鈴木聡之）と共に運営しているのが「大人のイン

プロ同好会」の「さとし」「くろめぐ」の二人です。我々三人が出演しているインプロライブの動画をYoutube「大人のインプロ同好会」チャンネルで配信中ですので、ぜひご覧ください。
https://www.youtube.com/channel/UCAstUSy-8Ecnf44W-jaulwg

▼注15　**ＮＰＯ法人「寝屋川市民たすけあいの会」**……社会福祉法人大阪ボランティア協会を母体に一九七八年に生まれた団体です。二〇〇九年三月から年一～二回、インプロワークショップ「インプロinすだち」に呼んでいただいています。私はここに出かけていき、「人と向き合う」原点を毎回学び直しています。

▼注16　**一般財団法人「ＰＥＮＳ」（ポジティブアースネイチャーズスクール）**……関西を中心に「場づくり」の学校として自然体験プログラムの提供をはじめとした様々な活動をしている団体です。二〇〇八年から毎年五回呼んでいただき、京都・神戸の大学生のキャンプリーダー（Ｇリーダー）たちの研修として、インプロを実施し続けています。

▼注17　**ＮＰＯ法人「ビーンズふくしま」**……福島で、不登校の子どもや引きこもりの青年などに安心できる居場所を提供し、ゆるやかな社会参加を促し、その自立を支援する事業を展開しているＮＰＯ法人です。二〇一二年から、自立支援プログラムのひとつとして、毎年「インプロ」を組み込んでくださっています。

おわりに

この本の中に、
ご自身が「そこにいたい」場、子どもたちと一緒に「つくりたい場」が、見つかりましたか？
皆さんの「場づくり」の手助けになる記述が、一か所でもあったのであれば、本望です。

まずはご自身がインプロと出会って、
思いっきり遊んでみてください。
思いっきり演じてみてください。

そうすることで、子どもたちと一緒につくりたい「場」が、くっきりと見えてくると思います。

私は、二〇〇二年、教員時代にインプロに出会いました。
小学校教員になれたことは、とても幸せだったけれど、小学校教員ではない「五十代」にしたくて、定年を勝手に干支一回りぶん前倒しして、学校をとび出した私は、二〇〇六年から、インプロワークショップのファシリテーターを始め、夢中で「場づくり」しているうちに、気がつけば還暦を過ぎていました。
インプロのおかげで、たくさんの笑顔に出会いました。
その笑顔に支えられて、その笑顔に励まされて、今日も、「場づくり」に向かいます。

無理なく、楽しく、笑顔の場をつくれるインプロ。
もっとたくさんの子どもたちが、インプロに出会ってほしい。
インプロに出会うことで、
日々過ごす空間が、子どもたちにとって
「誰もが『ここにいていい』と思える場」となってほしい。

もっと多くの大人たちが、インプロを知ってほしい。
インプロに出会うことで、
日々、奮闘する大人たちの肩の力が抜けて、
笑顔で子どもたちと向き合えるようになってほしい。

——そんな思いから、この本を作りました。

ここまで、笑顔で私を支えてくれた、学校や、インプロの現場で出会った皆さん、怠け者の私にエネルギーをくれた、たくさんの子どもたち、インプロの世界にいざない、鍛えてくださったインプロヴァイザーの方々、そして、この本を一緒に創ってくださった方々に、心からの感謝を申し上げます。
ありがとうございます。

「失敗していいんだよ！」というメッセージが心に届くと、
子どもたちはいきいきと失敗し始めます。
「恥ずかしくていいんだよ！」
「恥ずかしい気持ちを大切にしたままチャレンジしてごらん！」と伝え続けると、
子どもたちは「恥ずかしくてもやれる」と感じ、
徐々に「恥ずかしくなくなる」子が増えてきます。
「みんなでひとつの発表（即興のステージ）を創る」経験の中で、
子どもたちは互いを尊重し、活かすことができるようになってきます。
インプロにはそんな体験ができる楽しいプログラムがたくさんあります。

レッツ！インプロ！
さあ、インプロを始めましょう!!

鈴木聡之

この本についてのご意見、ご質問、お寄せ下さい。
インプロの場づくりについてのご相談も、いつでも承ります。

気軽にどなたでも参加できるワークショップを、
大阪・高槻（インプロ in カフェコモンズ）と
千葉・市川（本八幡インプロパーク）で
開催しています。

インプロの出前ワークショップ
(遊び場・パフォーマンス・教員研修・職員研修・家族インプロなど)、
出前授業
(小学校・中学校・高校・大学・専門学校)、
承ります。
日本じゅうどこでも伺います。

ご意見、ご相談、お問合せ、お申込みは
メール　yesandyeah@ezweb.ne.jp
電話０８０－６５９８－０８７８
鈴木聡之まで。

インプロパークHP
（ワークショップ・パフォーマンスライブ詳細／出前ワークショップ受付）
http://www3.plala.or.jp/impro-park/

インプロ in カフェコモンズblog
（毎月開催のワークショップのレポート発信中）
http://inprocommons.blog2.fc2.com/

プロフィール

鈴木聡之（すずき・さとし） ～すぅさん～

インプロヴァイザー。インプロパーク主宰。
武蔵野学院大学国際コミュニケーション学部非常勤講師。
1958年、東京生まれ。
上智大学文学部教育学科～千葉県立小学校教員養成所卒。
千葉県に小学校教員として21年間勤務。
2002年にインプロに出会い、
総合学習で即興演劇の授業を4年間実践。
2006年に退職後は、全国各地でインプロのワークショップや，
パフォーマンスライブ、学校でのインプロ授業を実施し続けている。

著作

武田富美子・渡辺貴裕編著『ドラマと学びの場』、武田富美子・吉田真理子編著『〈トム・ソーヤ〉を遊ぶ』（ともに晩成書房）に原稿執筆。

子どもたちとレッツ！インプロ！
―誰もが「ここにいていい」と思える場づくりのために
二〇二〇年 八月 五日 第一刷印刷
二〇二〇年 八月十五日 第一刷発行
著 者 鈴木聡之
発行者 水野 久
発行所 株式会社 晩成書房
●101-0064 東京都千代田区神田猿楽町二－一－一六
●電 話 〇三－三二九三－八三四八
●FAX 〇三－三二九三－八三四九
印刷・製本 株式会社 ミツワ

乱丁・落丁はお取り替えします
ISBN978-4-89380-498-3 C0037
Printed in Japan

■インプロ/ワークショップ/ドラマ教育の本■

インプロゲーム
—身体表現の即興ワークショップ

絹川友梨 著●定価 3,000 円＋税　ISBN978-4-89380-267-5

即興で表現を楽しむインプロゲームを集大成。大人から子どもまで、俳優を志す人からコミュニケーション感覚を養いたい社会人まで、それぞれに活用できる楽しい即興表現ゲームを満載。演劇部の基礎練習にも最適。

インプロ ワークショップの進め方
—ファシリテーターの考えること

絹川友梨 著●定価 2,000 円＋税　ISBN978-4-89380-468-6

ワークショップの展開に定評のある著者が、ノウハウを全公開！　インプロに限らず、さまざまな分野でのワークショップや、創造的な学び方を考える教育関係者にも参考になる、いきいきとした場を生むための必読書。

ドラマと学びの場
—３つのワークショップから教育空間を考える

武田富美子・渡辺貴裕 編著●定価 2,500 円＋税　ISBN978-4-89380-449-5

ワークショップによってどのような学びの場が生まれるのか。インプロなど、演劇的なワークショップの実際を詳細に記録・検討し、学びの基盤としての自分の存在を受け入れ、自分を表現できる空間の意義を考える。

異文化理解ワークショップ
〈トム・ソーヤ〉を遊ぶ
—楽しく創造的な学びをめざして

武田富美子・吉田真理子 編著●定価 2,200 円＋税　ISBN978-4-89380-494-5

『トム・ソーヤの冒険』の世界から、さまざまな遊びやドラマの方法を採り入れた、能動的で楽しいワークショップ型の学びの場を展開。異文化理解、そして「持続可能な社会の担い手」を育てる学びのあり方を示す。

体ほぐし・インプロ・表現
—体育と演劇教育で〈生きる力〉を育む

栗原 茂 著●定価 2,000 円＋税　ISBN978-4-89380-474-7

自分の心とからだに向きあうこと。自分を知ること。友達を知ること——体育の「体ほぐしの運動」の考え方と、演劇教育を結び、小学校の教室で、運動会・学芸会で、インプロや表現活動に取り組んだ実践の記録。

教育方法としてのドラマ
J・ニーランズ＋渡部 淳 著●定価 2,000 円＋税　ISBN978-4-89380-392-4

ドラマの方法を活用した参加・獲得型学習によって、学びを全身化することの意義と、実践のためのヒント、実践例を示し、従来の学びのあり方をアクティブなものへとダイナミックに変革することを提起する。

実践 ドラマ教育
—想像と表現の参加型学習

武田富美子 編著●定価 2,000 円＋税　ISBN978-4-89380-442-6

「なってみる」「表現してみる」ドラマ活動を軸にした楽しい授業で、いきいきとした深い学びを育むドラマ教育。小・中学校、大学での授業の実際を、指導案とともに報告。授業の実際が浮かび上がるドラマ教育入門。